Le Colonel Chabert

Du même auteur
dans la même collection

BALZAC

—

Le Colonel Chabert

●

PRÉSENTATION
NOTES
DOSSIER
CHRONOLOGIE
BIBLIOGRAPHIE

par Nadine Satiat

GF Flammarion

Nadine Satiat, spécialiste de la littérature du XIXe siècle, a édité dans la collection GF-Flammarion plusieurs œuvres de Balzac (*Un début dans la vie, La Recherche de l'absolu, La Peau de chagrin, La Maison du chat-qui-pelote*) et des Goncourt (*Germinie Lacerteux, Renée Mauperin*), ainsi que *Notre cœur* de Maupassant. Elle est également l'auteur d'une biographie de Balzac (*Balzac ou la fureur d'écrire*, Hachette Littératures, 1999) et d'une biographie de Maupassant (*Maupassant*, Flammarion, « Grandes biographies », 2003).

SOMMAIRE

Le Colonel Chabert

INTERVIEW

P arce que la littérature d'aujourd'hui se nourrit de celle d'hier, la GF a interrogé des écrivains contemporains sur leur « classique » préféré. À travers l'évocation intime de leurs souvenirs et de leur expérience de lecture, ils nous font partager leur amour des lettres, et nous laissent entrevoir ce que la littérature leur a apporté. Ce qu'elle peut apporter à chacun de nous, au quotidien.

Né en 1959, Christian Garcin est écrivain. Il est notamment l'auteur de plusieurs romans, parmi lesquels Le Vol du pigeon voyageur *(Gallimard, 2000)*, La Jubilation des hasards *(Gallimard, 2005)*, La Piste mongole *(Verdier, 2009) et* Des femmes disparaissent *(Verdier, 2011), de récits de vies (*Vidas *et* Vies volées, *Gallimard, « Folio », 2007), de nouvelles, de poèmes, de récits de voyages et d'essais sur la peinture et la littérature. Il a accepté de nous parler du* Colonel Chabert, *et nous l'en remercions.*

**Quand avez-vous lu ce livre pour la première fois ?
Racontez-nous les circonstances de cette lecture.**

Pour commencer, je dois dire que j'ai très peu lu
Balzac, probablement parce qu'on me l'a fait lire trop
jeune. Collégien, j'avais un an d'avance, et à l'entrée en
quatrième je n'avais pas encore 12 ans. C'est à ce
moment-là que j'avais eu à lire *Eugénie Grandet*, que je
n'avais pas détesté, mais qui me semblait tout de même
bien ardu, notamment dans les descriptions. Je ne suis
même pas certain d'en avoir terminé la lecture, mais ce
sont là des souvenirs très lointains. La même année,
j'avais dû lire *Le Père Goriot*, là non plus l'expérience
n'avait pas été concluante, et en troisième, à 13 ans donc,
Le Lys dans la vallée, qui m'avait fortement rebuté et
ennuyé – j'imagine qu'aujourd'hui plus personne ne
donne ce livre à lire à des enfants de cet âge. Par la suite,
probablement échaudé par ces expériences de peu de
plaisir, je ne me suis plus frotté à Balzac. Ce n'est
qu'adulte que je suis retourné vers lui, avec quelques
romans trouvés ici ou là au hasard des étagères d'un bou-
quiniste – mais très peu somme toute : *Illusions perdues*,
Le Père Goriot, dont je me suis rendu compte que je n'en
avais gardé nul souvenir scolaire, *La Femme de trente ans*,
Le Colonel Chabert et quelques autres, souvent parmi les
plus brefs. Je ne me souviens plus exactement de
l'époque, mais j'avais plus de trente ans.

**Votre « coup de foudre » a-t-il eu lieu dès le début
du livre ou après ?**

Au tout début, sans hésitation. C'est que Balzac nous
prend tout de suite en otage, avec une fougue incroyable.
Dès les premières lignes, c'est un tourbillon : nous nous
trouvons projetés dans une cacophonie absolue, au beau
milieu d'une étude d'avoués bruyante, crasseuse et désordonnée, où les jeunes clercs chahutent en permanence, en

même temps qu'ils travaillent à classer des dossiers ou rédigent leurs courriers en utilisant des termes juridiques abscons, les conversations sont décousues, les réponses aux questions surviennent des dizaines de lignes plus loin, le bruit est incessant, l'agitation extrême, les odeurs – et quelles odeurs ! des côtelettes de porc, du fromage de Brie, du chocolat, mêlés à la poussière des vieux dossiers… – omniprésentes… Pour tout dire, il est malaisé de comprendre précisément ce qui se passe, c'est un puzzle qui peu à peu se met en place, tout cela étant d'une facture extrêmement visuelle et moderne. C'est prodigieux. Ça passe ou ça casse, dès les premières pages du livre.

Relisez-vous ce livre parfois ? À quelle occasion ?

Oui, cela m'arrive régulièrement. Ou, plus exactement, je le reparcours, sans le lire in extenso du début à la fin – comme toujours lorsque je dis « relire » un livre. En tout état de cause, celui-ci fait partie, avec quelques autres, des livres dans lesquels je me suis le plus souvent replongé.

Est-ce que cette œuvre a marqué vos livres ou votre vie ?

Je ne pense pas – je n'y ai jamais réfléchi, en vérité. Cependant, s'il devait y avoir, toutes proportions gardées évidemment, un point commun entre certains de mes livres et celui-ci, ce serait sans doute dans la manière qu'a Balzac de traiter sans avoir l'air d'y toucher la dimension fantastique de cette histoire, qui oscille au début entre réalisme et surnaturel. Dans cette espèce de flou soigneusement entretenu. Les termes qu'il utilise pour décrire Chabert lors de son entrevue avec Derville sont ceux que l'on peut trouver dans n'importe quel roman fantastique de l'époque : l'accent est mis sur l'aspect maigre, blafard, cadavéreux, livide de sa personne. Balzac joue à nous faire croire qu'il s'agit d'un fantôme revenu du royaume des morts, ou depuis peu surgi de la fosse. Mais il n'insiste pas trop là-dessus. Certes, Chabert est à proprement parler un mort-vivant, et si la dimension fantastique est ensuite laissée de côté, le lecteur, tout comme Derville, ne sait trop à quoi s'en tenir au début : imposteur ou fantôme ? On n'est jamais absolument certain qu'il s'agisse bien du colonel déclaré mort à Eylau – jusqu'à son entrevue avec son ex-femme.

Quelles sont vos scènes préférées ?

L'entrevue entre Chabert et Derville est d'un noir magnifique. Chabert est un pauvre vieillard, désemparé et las, qui s'épuise à retrouver une identité, et n'accepte pas sa mort déclarée, quinze ans auparavant, lors de la bataille d'Eylau. Il est l'homme de la nuit, un mort-vivant qui revient du royaume des ténèbres pour demander des comptes et retrouver une identité. Tout en lui, autour de lui, est lié à la nuit. Il a traversé la nuit de l'Histoire, puisqu'il fut colonel d'Empire, mais d'un Empire qui n'est plus, puisque le soleil d'Austerlitz a pâli avant de s'effondrer – « Notre soleil s'est couché, nous avons tous froid maintenant ! » s'écrie-t-il d'ailleurs ; ensuite la nuit utérine du tombeau, qu'il décrit superbement, si noire et silencieuse, puisqu'il a été enterré sous des couches de cadavres et qu'au petit matin, dit-il, « enfin j'ai vu le jour ! » ; puis celle de l'entretien, puisque c'est au cœur de la nuit que Derville lui donne rendez-vous pour écouter son histoire. Quant à la nuit de l'oubli, elle se dresse devant lui comme un destin inévitable. Le portrait de ces deux hommes, l'un parlant lentement, passionnément, tout enveloppé du noir de ces quatre nuits, l'autre l'écoutant interloqué dans le soudain silence nocturne de son étude qui dans la journée est si bruyante et désordonnée, est un grand moment de littérature et d'émotion.

Y a-t-il, selon vous, des passages « ratés » ?

« Ratés » n'est pas le mot, mais disons que le temps a peut-être rendu certains passages un peu complexes, nécessitant des notes de bas de page. La machination de Derville, par exemple, qui veut effrayer la comtesse Ferraud, ex-Mme Chabert, en lui laissant entendre que son mari pourrait envisager avec intérêt un divorce qui lui permettrait d'obtenir la pairie, laquelle ne peut que lui être refusée dans l'état actuel des choses puisqu'il est marié à la veuve d'un colonel d'Empire, symbole d'une époque honnie par le pouvoir en place de la Restauration, est exposée de manière un peu elliptique, qui présuppose aujourd'hui des connaissances historiques dont chacun ne dispose pas forcément.

Cette œuvre reste-t-elle pour vous, par certains aspects, obscure ou mystérieuse ?

Non, même si l'obscurité est une des constituantes essentielles de l'œuvre, ou plus exactement l'opposition obscurité (Chabert)/lumière (Mme Ferraud) – on ne peut que constater que la lumineuse comtesse Ferraud a gagné, et que Chabert accepte son sort et retourne dans l'ombre d'où il n'aurait jamais dû sortir. Le mystère aussi demeure longtemps de savoir si Chabert est bien Chabert, et s'il va ou non pouvoir prouver son bon droit. Mais ce sont là les composantes choisies par l'auteur, et rien ne semble irréductible à la première lecture.

Quelle est pour vous la phrase ou la formule « culte » de cette œuvre ?

Il y en a deux, selon moi. La phrase d'ouverture du livre : « Allons ! encore notre vieux carrick ! », qui dès le départ installe le lecteur dans une sorte de décalage un peu énigmatique, étant donné que plus personne ne sait ce qu'est un carrick aujourd'hui. Mais même pour ceux qui le savent ou le savaient, le décalage existe, puisque cette simple phrase renseigne sur l'aspect démodé, déclassé, ringard, du personnage qui arrive / le carrick étant une sorte de redingote de l'époque napoléonienne, passée de mode au moment où se situe l'action.

Et puis, davantage qu'une phrase ou une formule, le passage à la fin du roman, lorsque le personnage de Derville indique à Godeschal, très ému par le sort de l'ex-colonel, les horreurs que recèle le monde réel, toujours supérieures selon lui à l'imagination, si sordide et galopante soit-elle, des romanciers. Et pour donner des exemples de ces horreurs, Balzac énumère des faits divers qui sont autant d'arguments de ses romans – *Le Père Goriot*, par exemple – en une formidable mise en abyme.

S'il est permis d'ouvrir une parenthèse, cette idée, assez commune au demeurant, de la réalité toujours plus terrible que la plus terrible des fictions, trouve un écho dans un film de Claude Chabrol, *Le Boucher*, où une institutrice jouée par Stéphane Audran dit à ses élèves, au tout début du film, quelques mots sur Balzac, qui « a peint la société de son époque ». Comme cela n'a rien à voir avec le film, on se dit qu'il pourrait s'agir de la part de Chabrol d'un hommage discret, ou d'une référence. Et plus tard, le policier et le personnage joué par Jean Yanne font tous deux allusion aux crimes horribles qu'ils ont vus, et au fait que, si terrible soit-elle, la fiction demeure toujours au-dessous de la réalité : exactement ce que dit Derville à Godeschal à la fin du *Colonel Chabert*. J'ai toujours pensé que ce double clin d'œil de Chabrol à Balzac témoignait, de la part du cinéaste de son désir d'être, à travers ses multiples chroniques cinématographiques, qui sont autant d'« études » post-balzaciennes de la vie parisienne, campagnarde ou bourgeoise, le Balzac de notre époque.

Si vous deviez présenter ce livre à un adolescent d'aujourd'hui, que lui diriez-vous ?

Je lui dirais tout d'abord qu'il ne faut pas se laisser impressionner par les trois premières pages un peu ardues à saisir dans le détail – d'ailleurs il faut passer outre les détails et toutes les références juridiques qui encombrent la lecture, car ensuite, tout rentre dans l'ordre.

Je lui dirais aussi que ce livre traite bien entendu d'un personnage du passé, mais qu'il s'agit d'un destin étonnamment contemporain, susceptible de parler à quiconque s'intéresse aux problèmes du monde actuel. Il n'est pas nécessaire de connaître sur le bout des doigts la société française de l'époque où Balzac situe son intrigue – même s'il vaut mieux en être un peu au fait pour comprendre le décalage existentiel de Chabert, qui ne vit que dans la nostalgie de Napoléon et se trouve projeté dans le monde radicalement différent de la Restauration, ou pour éclaircir certains enjeux, comme celui de la pairie pour le comte Ferraud. Mais surtout, le destin de Chabert renvoie de manière très précise à la situation dramatique que vivent certaines personnes dans notre société française contemporaine. Officiellement il n'est plus de ce monde, il est privé de droits, n'a ni domicile ni papiers, doit prouver la réalité de sa présence, et se heurte à une société et une ex-femme singulièrement cruelles, cyniques et oublieuses. Inutile de dire que cela résonne tout particulièrement aujourd'hui, dans une société où des milliers d'individus sont dans le même cas, travailleurs sans papiers et n'ayant de fait aucune existence juridique légale.

Encore une parenthèse cinématographique : Chabert est mort au combat, il s'est trouvé enfoui sous des couches de cadavres ; encore une fois, il est un mort-vivant qui réclame le retour à la vie, et ses portraits au début du livre soulignent son aspect blafard, livide ou

« déterré » (ce que, malgré l'utilisation de filtres bleutés, ne restitue pas vraiment dans le film d'Yves Angelo le personnage de Depardieu, beaucoup trop vigoureux et sanguin). En cela, Balzac annonçait certains films d'horreur des années 1970, comme *La Nuit des morts-vivants*, ou *Zombie, le crépuscule des morts-vivants*, de George A. Romero, dans lesquels le thème du mort-vivant en tant que métaphore évidente du paria, du déclassé et de tous les laissés-pour-compte de nos sociétés de consommation apparaît de manière récurrente.

*
* *

Avez-vous un personnage « fétiche » dans cette œuvre ? Qu'est-ce qui vous frappe, séduit (ou déplaît) chez lui ?

Chabert, bien entendu. Les autres sont bien pâles à côté de lui – même Derville, personnage difficile à cerner, à la fois généreux et retors, dont on saisit mal par moments les motivations, mais qui fait sincèrement tout ce qu'il peut pour aider Chabert. Chabert est un ancien colonel d'Empire qui a connu tous les honneurs, un homme d'action habitué à commander, et qui, lorsqu'il pénètre quinze ans plus tard avec humilité dans une étude de jeunes zouaves chahuteurs, ne sait où se mettre, sourit d'un air gêné, et n'ose pas demander une chaise pour s'asseoir. Ensuite on le voit vivre dans des conditions misérables et insalubres, et se laisser embobiner par son ex-femme, manipulatrice qui connaît parfaitement les rouages du monde dans lequel elle vit, au contraire de lui, qui continue à penser, agir et vivre dans un monde révolu, et se trouve totalement décalé, impuissant, désemparé, à la merci de la sauvagerie du monde moderne. C'est un personnage extrêmement émouvant.

Ce personnage commet-il, selon vous, des erreurs au cours de sa vie de personnage ?

Non. Il n'est plus de ce monde, c'est tout. Il est vaincu d'avance. Que peut-il faire dans une société qui valorise la puissance de l'argent, l'égoïsme et le cynisme, lui qui est issu du ruisseau (c'est un enfant trouvé), a gravi les échelons de la hiérarchie militaire à la force du poignet, et vit encore selon le code de l'héroïsme, de la grandeur d'âme et de l'honneur ? Encore une fois, il s'agit d'une métaphore très actuelle de notre société, à l'heure où les crispations idéologiques et les discours ambiants favorisent le repli identitaire, et où les notions de partage, de désintérêt et de générosité sont considérées comme rêveries stériles et improductives. Chabert n'a plus qu'à se retirer, ce qu'il fait, et vivre dans un trou.

Quel conseil lui donneriez-vous si vous le rencontriez ?

Aucun. Je lui baiserais les mains, et lui dirais que je l'admire profondément.

Si vous deviez réécrire l'histoire de ce personnage aujourd'hui, que lui arriverait-il ?

La même chose, malheureusement : il tenterait de faire valoir ses droits dans une société clinquante, oublieuse et égoïste, et il finirait à la rue.

*
* *

Le mot de la fin ?

Deux : Chabert est toujours vivant. Et l'obscurité vaut mieux que la lumière.

À Roxane et Adrien.

L'histoire du *Colonel Chabert* est simple, c'est une histoire comme il y en a depuis qu'il y a des guerres. Une histoire aussi vieille que celle d'Agamemnon de retour de la guerre de Troie trouvant son épouse Clytemnestre dans les bras d'Égisthe ; aussi vieille que celle d'Ulysse qui, après des années d'épreuves pour rentrer à Ithaque, retrouve son palais envahi par les prétendants. Une histoire comme il y en eut sans doute des milliers au cours de l'Empire et au début de la Restauration : le colonel Chabert, tenu pour mort à la bataille d'Eylau (1807), revient chez lui un beau jour de juillet 1815, après des années d'errance et de souffrance, trouve sa femme, héritière de toute sa fortune, remariée et mère de deux enfants, sa maison démolie et la rue même où elle se trouvait débaptisée, et tente de recouvrer son identité dans un monde aux yeux duquel il n'existe tout simplement plus, et dans lequel nul n'a intérêt à le voir reprendre sa place et sa fortune.

Balzac a écrit la première version de cette histoire en 1832 sous le titre *La Transaction*. Pour être déjà l'écrivain à la mode consacré six mois plus tôt par *La Peau de chagrin*, ce Balzac-là n'était pas encore tout à fait celui de *La Comédie humaine*, où *Le Colonel Chabert* entrera en 1844. C'était un auteur qui, après sept ou huit ans passés à écrire sous divers pseudonymes, « pour se délier la main », cent volumes de littérature commerciale, se grisait de son récent succès, un auteur en pleine effervescence créatrice, désordonné, enthousiaste, dont les intuitions sociales et philosophiques commençaient à se dessiner sans qu'il en fût encore tout à fait conscient, dont les techniques de composition, affinées depuis quelques années par la pratique du conte et de la nouvelle, étaient encore empreintes d'une recherche excessive de virtuosité à la mode du moment, mais devenaient de plus en plus personnelles, et dont l'invention romanesque, nourrie par un talent d'observation suraigu, se déployait avec une rapidité et une complexité croissantes. Balzac commençait évidemment à être porté par ce qu'il avait déjà écrit. La rédaction de *La Transaction* fut extrêmement rapide : le texte fut très probablement rédigé comme un feuilleton, au fur et à mesure de sa publication dans *L'Artiste*, en quatre livraisons, les 19 et 26 février, et les 5 et 12 mars 1832. Éclosion brusque – sous la poussée d'une sève déjà riche de souvenirs, d'anecdotes, de situations et de personnages.

Souvenirs épiques

Arrière-petit-fils de passementiers-brodeurs qui fournirent l'armée républicaine, puis l'armée impériale, en galons et en aiguillettes, petit-fils de haut fonctionnaire à la Direction des Vivres, fils d'un directeur des Vivres et des Approvisionnements de l'armée du Nord en 1793, puis de l'armée de Vendée en 1795, et qui resta fonctionnaire à la Direction des Vivres jusqu'en avril 1819, Balzac, dix-sept ans l'année de Waterloo, a passé sa prime enfance à Tours, ville où résidaient un état-major de brigade mais aussi, et c'était plus inhabituel, une colonie d'officiers prisonniers de guerre assignés à résidence sur parole, qu'on recevait poliment. Les militaires occupèrent donc selon toute vraisemblance une place importante dans la vie quotidienne et les conversations de la famille Balzac. Mme Balzac, trente-deux ans de moins que son mari, ne se montrait sans doute pas insensible aux charmes des fringants officiers ; est-ce l'uniforme de grenadier de la garde nationale qu'il endossait périodiquement qui valut à Jean de Margonne, « prestigieux bellâtre », d'être « distingué » par Mme Balzac, comme le suggère avec malice Maurice Bardèche [1] ? De cette liaison naquit en 1807 Henry, ce frère qui serait toujours le préféré de leur mère, blessure inguérissable au cœur de Balzac. Il n'en sera pas moins l'ami de M. de Margonne et de son père, lui-même ancien officier, et sera souvent reçu dans leur château de Saché.

Aussi ne peut-on s'étonner que Balzac ait campé dès ses premiers romans quelques belles figures de militaires, du général Beringheld, flanqué du brave sergent Lagloire dans le gothique *Centenaire* (1822), à Horace de Landon-Taxis, servi par le fidèle Nickel dans le trop mélodramatique *Wann-Chlore* (1825) : ce fier chef d'escadron de l'armée impériale y raconte déjà dans une lettre comment, grièvement blessé en Allemagne, il fut recueilli et soigné dans une misérable baraque, tandis qu'on le croyait mort. Cet épisode préfigure une partie de l'histoire de Chabert, dans un roman qui est aussi une histoire de bigamie et de vengeance contre un duc à deux épouses : *La Transaction*. Après s'être intitulé *La Comtesse à deux maris* en 1835, ce roman deviendra *Le Colonel Chabert* en 1844. Quant à Lagloire et à Nickel, pittoresques vétérans au parler populaire, ils préfigurent chacun à sa manière les figures fraternelles de Boutin et de Vergniaud, le *nouriceure* du *Colonel Chabert*. Ces types et ces situations commençaient d'ailleurs à se multiplier dans la littérature du temps, et Pierre Citron a recensé, à partir de 1824, maints exemples de

---

1. Le lecteur trouvera en fin de volume, dans la section « Bibliographie », les références complètes de tous les ouvrages et articles des auteurs cités *infra*.

romans militaires situés sous l'Empire, dont les personnages sont laissés pour morts sur les champs de bataille,
voire restent fous à la suite du traumatisme pendant plusieurs années ; particulièrement proche du futur *Colonel
Chabert* est l'histoire du général d'Archambaud dans un
roman anonyme de 1826, *Éléonore, anecdote de la guerre
d'Espagne en 1813*, laissé pour mort, gravement blessé,
ramassé par les ambulances ennemies, soigné par des
femmes russes qui suivaient l'armée, puis fort maltraité
pendant deux ans par les Russes, saisi par une fièvre céré-
brale et placé dans un mauvais hôpital, puis retrouvant
d'un coup la mémoire, écrivant à sa mère, mais sans
réponse, retombant malade, décidant de retourner en
France, à pied et sans un sou, comme un vagabond, sur-
montant mille obstacles en chemin, puis enfin en France,
aidé par un ancien camarade, retrouvant sa mère qui le
croyait mort depuis longtemps, et apprenant que sa
femme est entrée au couvent. Balzac a certainement lu
ce roman, à un moment ou à un autre, puisqu'il s'en est
inspiré plus tard, comme l'a bien montré Pierre Citron,
pour le dénouement de *La Duchesse de Langeais*.

Puis ce fut l'intermède catastrophique des années
1826-1828, au cours desquelles Balzac se rêva à la fois
éditeur, imprimeur et fondeur des caractères avec lesquels
il imprimerait ses œuvres – ce qui se solda par une belle
déconfiture et soixante mille francs de dettes, dont cinquante auprès de sa mère, qu'il ne devait jamais rem-
bourser. Une première *Physiologie du mariage* fut ainsi
imprimée, mais resta dans un tiroir.

Lorsque Balzac revint à la littérature, ce fut avec une
histoire d'aventures historiques, plus ou moins imitée de
Walter Scott et de Fenimore Cooper (dont *Le Dernier des
Mohicans*, publié en français en 1826, venait d'obtenir un
franc succès), située en Bretagne en 1799, l'année du
retour d'Égypte de Napoléon, et au moment où le Directoire envoya l'armée républicaine réprimer les dernières
insurrections chouannes : *Le Dernier Chouan* fut écrit

dans les derniers mois de 1828, à Fougères, chez le général de Pommereul – le fils du préfet Pommereul qui avait été en 1801 la bonne étoile du père de l'écrivain – et à partir d'un fait divers que lui avait rapporté ce général fécond en anecdotes. Selon toute probabilité, Balzac en avait déjà fait son miel pour alimenter l'année précédente ses articles de l'éphémère *Album historique et anecdotique*. Officiers et soldats – Bleus de l'excellent colonel Hulot, premier des officiers d'Empire de la future *Comédie*, et Blancs menés par l'aristocratique Montauran – peuplaient désormais tout un roman, et, de fait, le premier roman signé « Balzac ». L'œuvre, publiée le 28 mars 1829, n'eut aucun succès et se vendit très mal. Mais cette déconvenue, comme l'a bien montré Maurice Bardèche, eut au moins un grand mérite : non seulement Balzac se disputa avec Latouche (qui, notons-le au passage, se faisait appeler Henry mais se nommait Hyacinthe) parce que Latouche, associé d'Urbain Canel pour la publication, voulait solder les invendus – ce qui, à terme, aboutit à une rupture entre les deux hommes, et à de nouvelles et fructueuses fréquentations littéraires pour Balzac –, mais il se détourna de la fabrication de romans de consommation courante, jetant définitivement aux orties Horace de Saint-Aubin le faiseur. Son activité littéraire allait désormais se déployer en plusieurs pans, chacune des facettes contradictoires de son être cherchant son expression propre dans un vaste spectre de possibles, du journalisme mondain au conte philosophique. Dans les mois qui allaient suivre, Balzac commencerait à écrire les premières « Scènes de la vie privée », et remettrait sur le métier *La Physiologie du mariage*, qui allait le tirer de l'obscurité.

Il ne renonçait pas pour autant à la veine militaire, que tout d'ailleurs, en cette année 1829, contribuait à alimenter. Faute d'argent en effet, l'ex-futur « Walter Scott français » était obligé d'aller de temps en temps vivre dans la maison de ses parents, à Versailles. Or à

Versailles vivait Mme d'Abrantès. Née Laure Permon en 1784, celle-ci était devenue veuve en 1813 du général Junot, surnommé le « sergent La Tempête » par Bonaparte dont il fut ensuite l'aide de camp pendant la campagne d'Égypte. Devenu gouverneur militaire de Paris puis commandant de l'armée du Portugal, Junot gagna son titre à la victoire d'Abrantès (1807), mais il fut contraint à la capitulation de Sintran, assista à la défaite en Espagne et participa à la désastreuse campagne de Russie qui sonna la fin de l'épopée. Exilé dans les Provinces illyriennes, Junot, frappé de folie, revint chez lui, près de Dijon, pour se suicider. L'ancienne étoile de l'Empire était alors devenue l'ennemie jurée de Napoléon, et, dans les bras d'un jeune capitaine royaliste, s'était ralliée aux Bourbons, et avait obtenu de Louis XVIII une pension et le droit de conserver son titre. Encore quelques brillantes années de triomphe mondain, et celle qui avait aussi été la maîtresse de Murat eut achevé de dilapider la fortune que son mari avait gagnée sur le pillage : elle fut contrainte en 1821 de se retirer à Versailles. C'est là que Balzac fit sa connaissance en 1825, par des amis communs de sa sœur Laure et de son mari, le polytechnicien Eugène Surville, qui venait d'obtenir un poste d'ingénieur des Ponts et Chaussées dans cette ville ; et Mme d'Abrantès, quadragénaire bien en chair, manières princières et brusqueries impérieuses, devint sa maîtresse, ce qui flatta sa vanité, servit ses ambitions – et nourrit son inspiration de maints récits de fêtes à la cour impériale et de chevauchées épiques à travers l'Europe. En 1829, après une période consacrée à Mme de Berny, Balzac renouait précisément sa liaison avec la duchesse, qui l'introduisit alors chez plusieurs grandes dames du temps de Napoléon : dans le salon très privé de Mme Récamier, qui vivait retirée à l'Abbaye-aux-Bois ; chez Mme Hamelin (1776-1851), une superbe créole, la plus élégante des « merveilleuses » du Directoire qui avait lancé les robes à la sauvage dites « cuisse de nymphe émue », qui avait été elle aussi la maîtresse de Chateaubriand, de Montrond et surtout du général Bonaparte lui-même, et qui vivait depuis 1827 à l'Ermitage de la Madelaine près de Fontainebleau ; ou encore chez la comtesse Merlin (1788-1852), une Cubaine qui avait brillé sous l'Empire, et qui était alors la maîtresse d'un camarade journaliste de Balzac, Philarète Chasles, lequel l'aida à écrire ses souvenirs comme Balzac aida Mme d'Abrantès à écrire les siens. Or ces dames, comme aussi la femme de lettres Sophie Gay, chez laquelle Balzac avait été introduit par Henri de Latouche (et dont la fille Delphine deviendrait bientôt Delphine de Girardin), regorgeaient d'anecdotes du temps du Directoire et de l'Empire. Balzac flambait d'enthousiasme : « Je retrouvai Balzac avec joie chez Mme d'Abrantès, raconte Mme Ancelot dans un passage de ses *Salons de Paris* [non daté mais que Bernard Guyon, qui le cite, situe aux alentours de 1830], mais je l'y trouvai tout différent de ce que je l'avais vu jusque-là : les merveilles de l'Empire l'exaltaient alors au point de donner à ses relations avec la duchesse une vivacité qui ressemblait à la passion. Un soir, il me dit : "Cette femme a vu Napoléon enfant ; elle l'a vu jeune homme, encore inconnu ; elle l'a vu occupé des choses ordinaires de la vie, puis elle l'a vu grandir, s'élever et couvrir le monde de son nom ! Elle est pour moi comme un Bienheureux qui viendrait s'asseoir à mes côtés, après avoir vécu au ciel tout près de Dieu." »

Entre 1825 et 1828, Balzac s'était aussi lié à Versailles avec tout un groupe de camarades polytechniciens d'Eugène Surville, et il avait noué en particulier une amitié durable avec Zulma Tourangin, une amie d'enfance de Laure, et la femme du commandant Carraud, directeur des études à l'École militaire de Saint-Cyr toute proche – cette amitié s'était affermie au début de 1829. Il avait ainsi fait la connaissance de plusieurs officiers qui avaient participé aux campagnes de l'Empire – le capitaine Périolas, le capitaine Viennet. Le récit de leurs aventures et de leurs souvenirs s'engrangea d'abord dans sa mémoire, puis, à partir du milieu de l'année 1830, dans un « album » qu'il allait bientôt appeler son « vivier » et dans lequel, pour ne pas perdre une miette de ce qu'on lui racontait, il allait se mettre à noter ses idées et ses projets.

C'est alors qu'en décembre 1829 la publication de la *Physiologie du mariage*, d'une verve, d'une liberté de ton et d'une finesse d'analyse psychologique bien supérieures à la première version non diffusée, mêlant facétieusement la statistique et la physiognomonie, et considérablement enrichie d'anecdotes du temps du Directoire et de l'Empire racontées par la duchesse d'Abrantès et Mme Hamelin, particulièrement abondante en récits d'aventures piquantes, fit de lui en quelques jours un auteur à succès. Les grands thèmes et le « système » philosophique de l'œuvre à venir s'annonçaient : l'influence de la physiologie sur la vie morale, le pouvoir destructeur de la pensée, les « crimes purement moraux » commis dans le secret des consciences à l'abri de la loi – catégorie déjà esquissée dans le *Code des gens honnêtes* [1] publié sans nom d'auteur en 1825. L'une des dernières méditations de la *Physiologie* (XXVI), donnant comme exemple une scène « déchirante » des *Brigands* de Schiller dans laquelle « un jeune homme fai[t], à l'aide de quelques idées, des entailles si profondes au cœur d'un vieillard, qu'il finit par lui arracher la vie » (c'est évidemment la scène au cours de laquelle François Moor tue son père avec une fausse lettre de son frère), porte, déjà, sur l'usage des sentiments comme des armes les plus cruelles dans la guerre conjugale.

Accueilli au sein d'une joyeuse bohème littéraire, Balzac goûtait enfin le plaisir d'être réclamé par les journaux et les revues élégantes : il se fit journaliste et chroniqueur mondain pour *La Caricature* de Philipon, pour *La*

---

1. Et que Balzac a toujours bien présent à l'esprit en écrivant *La Transaction* – cf. note 1, p. 48 du *Colonel Chabert*.

Silhouette, qui appartenait à Émile de Girardin (de même que *Le Voleur* auquel il donnerait – entre septembre 1830 et fin mars 1831 – dix-neuf *Lettres sur Paris*), et songea tout naturellement à y débiter, entre autres choses, quelques histoires de militaires récoltées auprès du petit groupe de Saint-Cyr.

Avec un culot qui chez lui allait devenir une seconde nature, Balzac commença vers cette époque à monnayer d'avance des textes dont il n'avait pas écrit la première ligne : le 3 janvier 1830, les éditeurs Marne et Delaunay retenaient ainsi, entre autres titres proposés par Balzac, un projet intitulé *La Bataille de Wagram* – sans doute le même que celui qui figurait déjà sous le titre *La Bataille* dans une liste de projets probablement contemporaine de la rédaction du *Dernier Chouan* –, projet dont Balzac décrirait en détail l'élaboration dans sa correspondance de 1832, dont il déplacerait même encore le lieu de Wagram à Dresde en 1844, au moment de compléter la section des *Scènes de la vie militaire* prévue dans le catalogue de *La Comédie humaine*, mais qu'il n'écrirait jamais. Toujours dans la veine militaire, le 30 janvier, Balzac donnait à *La Mode*, que venait aussi de créer son nouvel ami Émile de Girardin, *El Verdugo*, sous le titre complet : *Souvenirs soldatesques, El Verdugo ; guerre d'Espagne (1809)*. Écrit en octobre 1829 (en même temps que *Gloire et Malheur*, futur *Maison du chat-qui-pelote* et première véritable étude de mœurs dans son œuvre), à Maffliers, chez le général de Talleyrand-Périgord qui avait invité Balzac avec Mme d'Abrantès, le texte était probablement inspiré des souvenirs espagnols de la duchesse ; c'était aussi la première publication signée « H. *de* Balzac ». Puis il donnait, les 15 mai et 5 juin 1830 (toujours à *La Mode*), *Adieu* – sous le titre complet *Souvenirs soldatesques, Adieu*, qui attestait la persistance d'un projet de volume d'inspiration militaire. Le second chapitre de cette nouvelle décrit le passage de la Bérézina, probablement tel que le capitaine Périolas l'avait raconté à l'auteur ; le héros, Philippe de Sucy, reste ensuite prisonnier en Sibérie pendant six années, puis retrouve par hasard sa maîtresse, devenue folle d'avoir été traînée pendant deux ans, dans les pires conditions, à la suite de l'armée ; les parents de celle-ci, la croyant morte, se sont partagés sa succession, tandis qu'elle était en réalité enfermée dans un asile de fous dans une petite ville d'Allemagne. Toutes ces souffrances, Balzac, comme le fait remarquer Pierre Citron, les accumulera sur la tête du colonel Chabert. À la *Revue de Paris*, Balzac donnait encore, le 26 décembre 1830, *Une passion dans le désert*, aventure de la campagne d'Égypte, puis, le 27 février 1831, *Le Réquisitionnaire*, épisode de la vie pendant la Révolution en Normandie. Et il gardait en réserve, consignés dans son album, maints récits entendus à Saint-Cyr ou à Fougères : histoire du capitaine Bianchi qui, pour un pari de deux mille francs, mange le cœur d'une sentinelle, récit de l'incendie des faubourgs de Ravenne par le général Pommereul, épisodes tragiques de la retraite de Russie et atrocités diverses. Autant d'amorces de contes dont ceux qui furent effectivement réalisés ne devaient paraître qu'en janvier 1832 dans les *Contes bruns*, un recueil écrit en collaboration.

NOUVELLES « ESPÈCES SOCIALES »

Entre-temps avaient paru en avril 1830 les premières *Scènes de la vie privée*, sortes d'illustrations de la *Physiologie du mariage* à l'usage des jeunes filles, et parmi ces « scènes », *Les Dangers de l'inconduite*, futur *Gobseck*, raconté par un personnage qui deviendrait dans les versions postérieures l'avoué Derville : il joue un grand rôle dans *Le Colonel Chabert*, et il assumait là pour la première fois le rôle de détecteur des secrets « ensevelis dans

le sein des familles ». Balzac commençait donc à rameu-
ter des souvenirs plus lointains, ceux des années 1816-
1819, consacrées à étudier le droit – car sa mère voulait
qu'il fût notaire –, et à grossoyer chez maître Guillonnet-
Merville, puis chez le notaire Victor Passez. Pour la première fois aussi dans ces « scènes », Balzac faisait de la
description d'un quartier de Paris un élément à part
entière de la peinture de telle ou telle « espèce sociale »
en application de l'idée selon laquelle « la vie extérieure
est une sorte de système organisé, qui représente un
homme aussi exactement que les couleurs du limaçon se
reproduisent sur sa coquille » ; inspirée de Cuvier, cette
idée fut théorisée pour la première fois dans le *Traité de
la vie élégante*, sorte de mode d'emploi de la vie sociale
dans le ton de la *Physiologie*, publié dans *La Mode* en
octobre 1830. Enfin, et parce qu'il concevait ces scènes
comme des œuvres didactiques et morales, il y inaugurait
aussi une technique de composition plus élaborée que
celle des contes, souvent en « diptyques » selon l'expression de Maurice Bardèche, afin de montrer plus efficace-
ment le passage du temps et les conséquences des fautes
commises, aménageant des échos et des contrastes entre
l'avant et l'après – voir *Gloire et Malheur*, le premier titre
de *La Maison du chat-qui-pelote* –, manipulant l'émotion
du lecteur avec une subtilité nouvelle et condensant souvent en une dernière image tout le poids du désastre :
dans *Le Colonel Chabert*, ce sera celle du colonel prenant
le soleil sur un banc, à l'hospice de Bicêtre.

Entre-temps il y eut une révolution aussi, mais après six
mois d'un enthousiasme assez naïf, Balzac déçu était mûr
pour se laisser attirer par les légitimistes – d'autant plus
qu'il allait bientôt rencontrer le duc de Fitz-James, chef du
parti néo-légitimiste auquel il se rallierait au début de 1832,
tenté certes par la carrière politique, mais aussi et peut-être
d'abord par la nièce du duc, la marquise de Castries, à
laquelle il allait faire une cour assidue, et vaine.

Mais évidemment la grande affaire de 1831, c'est *La Peau de chagrin*, dont la publication, le 1ᵉʳ août, fait accéder l'auteur à succès de la *Physiologie* au rang d'écrivain à la mode. Et Balzac dès lors, reçu partout, cabotinant dans les salons, n'a de cesse de rivaliser avec les écrivains les plus en vue de Paris, Lautour-Mezeray, Eugène Sue, Jules Janin, qui s'affichaient dans tous les lieux chic, vêtus avec la dernière élégance, et menaient grand train : de cette époque datent les premières extravagances qui feront sa légende – dépenses de décorateur, de tailleur, de traiteur, robes de chambre avec ceinture à glands d'or, cabriolet de luxe avec groom et couverture portant une couronne comtale, baignoire à l'Opéra. Balzac gagne de l'argent, mais en dépense encore plus, semble oublier les cinquante mille francs qu'il doit toujours à sa mère depuis la faillite de l'imprimerie, et commence à accumuler dangereusement les dettes. Et au vrai, cette prodigalité n'a pas toujours les effets escomptés : si la verve de Balzac conteur éblouit les salons, « M. le comte de Balzac » est d'un luxe un peu voyant, et d'aucuns le trouvent vulgaire…

Le succès de *La Peau de chagrin* fut tel qu'on imprima vite une deuxième édition augmentée de contes, trois volumes de *Romans et contes philosophiques* – dont certains n'étaient d'ailleurs « philosophiques » que pour l'occasion, ou alors au sens large, puisqu'on y retrouve entre autres *El Verdugo* et *Le Réquisitionnaire*. Au demeurant, la veine des « souvenirs soldatesques » n'était pas tout à fait tarie : dans la *Revue de Paris*, en même temps que *La Peau de chagrin*, avait paru par exemple *L'Auberge rouge*, dont les protagonistes sont deux chirurgiens militaires des armées de la République. Et, en avril, Balzac avait bel et bien entrepris pour l'éditeur Boulland des *Scènes de la vie militaire* (selon Pierre Citron, dix feuilles en avaient même été imprimées et corrigées, mais on ignore de quels textes il s'agissait) ; bizarrement ces mêmes scènes se trouvent aussi adjugées aux éditeurs

Marne et Delaunay dans un traité conclu au mois d'août. Balzac se disperse un peu dans tous les sens – c'est aussi l'époque où il commence à travailler aux *Contes drolatiques*. Mais ce souci de construire des ensembles cohérents indique cependant que l'écrivain commence à envisager d'ordonner son œuvre.

En novembre, Balzac est à Saché. Puis, fin décembre, il séjourne une dizaine de jours à Angoulême chez les Carraud – le commandant Carraud y a été nommé le 1er juillet directeur de la Poudrerie. Ce séjour décida-t-il de la rédaction de *La Transaction* ? Rien n'annonçait l'œuvre dans l'album : c'est donc peut-être que Balzac, dans une frénésie de travail, tenu et stimulé par un contrat avec *L'Artiste* (auquel il avait déjà donné en août *Le Chef-d'œuvre inconnu*), et peut-être aussi poussé par des dettes urgentes, exploita sur-le-champ quelque « souvenir soldatesque » que les Carraud venaient de lui raconter ou de lui remettre en mémoire. Il a déjà à sa disposition maints éléments anecdotiques et personnages militaires secondaires, qu'il combine aussitôt avec des personnages et des thèmes explorés et exploités dans ses œuvres récentes.

L'exemple le plus flagrant de cet opportunisme est le personnage de la femme du colonel Chabert, la comtesse Ferraud, qui est à l'évidence une nouvelle mouture du type de la « femme sans cœur », inauguré avec tant de succès dans la deuxième partie de *La Peau de chagrin* – l'expression se trouvait même textuellement dans *La Transaction* ; bien que Balzac n'aille jamais jusqu'à en faire tout à fait un personnage emblématique de la Restauration, elle est tout autant que Foedora « le type d'une société sans cœur », pour reprendre l'expression de Félix Davin dans son introduction aux *Études philosophiques*.

L'aventure strictement militaire, ou plutôt les circonstances dans lesquelles Chabert est tombé à Eylau, sont décrites en des termes expressifs qui dénotent encore un goût très romantique des extrêmes ; mais le tout est emboîté dans le cadre d'un « drame judiciaire », genre inauguré avec *Les Dangers de l'inconduite* (futur *Gobseck*), et raconté par Chabert à l'avoué Derville – personnage inspiré en partie de l'avoué Guillonnet-Merville, l'homophonie l'indique assez –, qui apparaissait déjà dans *Les Dangers* mais n'acquiert son nom et ses caractéristiques définitives que dans *La Transaction*. Ce cadre judiciaire fournit le décor de la scène d'ouverture, scène d'étude pour laquelle Balzac mobilise des souvenirs de jeunesse qu'il partage avec plusieurs générations de jeunes gens contraints par leur famille à faire leur droit, et placés en stage dans une étude ; Pierre Citron cite à ce propos un passage du tome III du *Tableau de Paris* de Sébastien Mercier qui décrivait déjà, à la veille de la Révolution, des jeunes gens perchés sur des escabelles dans un greffe de procureur, et grattant du papier timbré du matin au soir, *grossoyant*, c'est-à-dire s'exerçant à « l'art d'allonger les mots et les lignes, pour employer le plus de papier possible, et le vendre ainsi tout barbouillé aux malheureux plaideurs [...] ». Ces souvenirs, Balzac les partage plus précisément encore avec Scribe, qui fut lui aussi clerc chez Mᵉ Guillonnet-Merville, et qui avait déjà peint l'avoué sous le nom de Derville dans une pièce intitulée *L'Intérieur de l'étude ou le Procureur et l'avoué*, représentée au théâtre des Variétés en 1821 et que Balzac devait connaître. Mais Pierre Citron suggère judicieusement qu'une publication plus récente a pu faire revenir à l'esprit de Balzac, précisément au moment où il devait fournir de la copie pour *L'Artiste*, ces souvenirs d'étude. En effet, vers la mi-janvier 1832, juste avant qu'il écrive *La Transaction*, Louis Desnoyers (qui par ailleurs – coïncidence ? – signait parfois du pseudonyme de « Derville » ses articles de critique dramatique pour *Le Voleur*) publia, dans le tome III du *Livre des Cent-et-un*, un article intitulé « Les Béotiens de Paris » dans lequel il décrivait, entre autres, à la manière des *Scènes populaires* (1830) d'Henry

Monnier, un dialogue de clercs dans une étude d'agent d'affaires, plein de facéties et d'onomatopées, qui annonce très précisément le début de *La Transaction* – et que Balzac ne pouvait pas ne pas connaître puisque *La Caricature*, dont il était l'un des rédacteurs, avec Audibert et Desnoyers lui-même, publia le 2 février un article flatteur sur le texte de Desnoyers, article dans lequel le dialogue de clercs était cité en entier. Reste que le Derville du *Colonel Chabert*, s'il a le sérieux, la probité et les habitudes de travail de Guillonnet-Merville, ne se confond pas avec l'avoué réel, qui avait quitté la profession en 1820 et était juge de paix depuis 1825 ; en revanche, observateur clairvoyant, mondain et brillant causeur, Derville emprunte plus d'un trait à Balzac lui-même.

D'un autre côté, sur le plan de la composition, Balzac progresse en combinant des techniques qu'il a déjà employées. Maurice Bardèche a finement analysé cette évolution – et la structure du texte définitif est déjà nette dans *La Transaction*, même si elle est masquée par le découpage arbitraire et inadéquat des livraisons de *L'Artiste*. Si, après une ouverture descriptive (la scène d'étude) comparable à celle de *La Maison du chat-qui-pelote* (bien que le rôle dramatique du détail – le carrick de Chabert, dès la première ligne – soit amplifié), Balzac fait un très traditionnel retour en arrière (le récit de Chabert : « La Résurrection »), comme au début de *La Peau de chagrin*, il entrecoupe cette fois le retour en arrière de répliques, le met en scène, de sorte que, lié à l'atmosphère de la scène d'ouverture, celui-ci « commence à faire corps avec le mouvement de l'exposition », – premiers pas de l'évolution qui aboutira à l'« avant-scène » caractéristique du roman balzacien. Après cette première partie, dans une partie centrale composée des deux visites/enquêtes de Derville, l'une au colonel et l'autre à la comtesse, Balzac, avec un goût là encore très romantique pour les contrastes marqués, oppose terme à terme deux mondes, symbolisés par deux quartiers de Paris : le pauvre quartier Saint-Marceau où habite le vétéran Vergniaud, qui a généreusement accueilli le colonel Chabert dans sa masure, au milieu des mioches et des bestiaux, et le somptueux faubourg Saint-Germain où trône désormais la comtesse Ferraud, musant avec son petit singe domestique dans un riche hôtel particulier acheté avec l'argent de Chabert. Dès lors, tout est en place pour que se succèdent rapidement la confrontation (la proposition de transaction), la manœuvre de la comtesse (Groslay) et le renoncement de Chabert, suivi d'un double épilogue au drame – les deux dernières rencontres de Chabert et de Derville, l'une au tribunal où Chabert est condamné pour vagabondage, l'autre à Bicêtre où Chabert a finalement et définitivement échoué –, le champ temporel de la nouvelle étant désormais élargi jusqu'à « couvrir » tout le destin du personnage, comme dans un roman, aspect de « boucle bouclée » que soulignent les derniers mots de *La Transaction* : le texte s'achevait en effet en 1832 par l'exclamation de Derville sur la destinée de cet homme « sorti de l'hospice des *Enfants trouvés* » qui « revient mourir à l'hospice de la *Vieillesse*, après avoir, dans l'intervalle, aidé Napoléon à conquérir l'Égypte et l'Europe ». Car *La Transaction* présente une autre grande nouveauté par rapport aux premières *Scènes de la vie privée* : désormais ce sont, comme dans la vie, les méchants qui triomphent.

La Transaction, comme toutes les publications en périodiques, ne fut pas signalée par la critique, mais sa fortune n'en fut pas moins immédiate : dans les mois qui suivirent sa publication dans *L'Artiste*, elle fut adaptée au théâtre par Jacques Arago (le frère d'un ami de Balzac) et Louis Lurine, et jouée, avec succès, sous le titre *Chabert* en juillet 1832 au Vaudeville, où elle succédait à un *one-man-show* d'Henry Monnier. Plusieurs journaux y consacrèrent leur feuilleton ; les critiques hostiles au romantisme, ou à Balzac personnellement, condamnèrent évidemment la nouvelle à travers la pièce, tout en affectant de ne pas savoir qu'elle était tirée d'un texte de Balzac. Ainsit fit le perfide Jules Janin du *Journal des débats*, spécialiste de ce que Baudelaire appellera « l'éreintage par la ligne courbe [1] » : il aurait préféré que l'intérêt portât moins sur le grognard et plus sur « la jeune comtesse de la Restauration, habile, ambitieuse, spirituelle, jolie ». D'autres critiques ne furent heureusement pas d'aussi mauvaise foi. Le critique de *La Quotidienne*, qui par une inexactitude prophétique donne d'ailleurs à la pièce le titre qui sera le titre définitif du roman douze ans plus tard, fait un éloge sans mélange de *La Transaction*, de son exposition « neuve et piquante », du « nœud fort et intéressant » de son histoire, de son « dénoûment imprévu, naturel et touchant » et de ses « caractères bien contrastés, graves et comiques, froids et passionnés ». Quant au feuilletoniste du *Constitutionnel* – qui, s'il n'a peut-être pas vu la pièce comme le laissent penser certaines inexactitudes, a en revanche lu attentivement la nouvelle –, il nous fait part avec naturel de son émotion : « Comment rester insensible à ses infortunes et à sa miraculeuse résurrection ? Il n'y a pas un roman en six volumes in-12°, fût-il arrosé des larmes de tous les cabinets de lecture de Paris, qui puisse avoir le pas sur les aventures de mon colonel. »

Balzac chercha évidemment ensuite à publier *La Transaction* en volume : il songea d'abord à la caser dans un volume de *Causeries du soir*, puis, une lettre du 30 septembre 1832 à l'éditeur Marne en témoigne, dans un ensemble de deux volumes d'*Études de femmes*, dont il avait résumé le contenu sur une feuille de son album : la « femme abandonnée », la « femme seule », la « femme à deux maris », la « femme tentée », la « femme de cœur » ; ces « profils de femmes » ne constitueront pas une série proprement dite dans l'œuvre de Balzac, mais ils forment

---

1. Cité par Pierre Citron, qui a le premier recensé les réactions critiques à *Chabert* que nous résumons ici.

un pan bien réel de son œuvre. Ces recueils ne parurent ni l'un ni l'autre. Par ailleurs, comme il n'avait reçu qu'un acompte pour *La Transaction* (mais n'avait pas non plus rempli ses autres obligations envers *L'Artiste*), Balzac s'estima lésé, se brouilla avec Ricour, le directeur de la revue, et lui abandonna finalement *La Transaction*. Mais Ricour céda aussitôt ses droits à Fournier jeune, qui en octobre 1832 publia la nouvelle dans un nouveau recueil collectif, *Le Salmigondis*, sous un nouveau titre pour lequel Balzac n'avait pas été consulté : *Le Comte Chabert*. Ce n'est cependant pas ce nouveau titre qui fut l'objet du mécontentement de l'auteur : c'est que, selon les termes du contrat, comme Balzac le rappelle à Fournier dans une lettre du 11 décembre 1832, *L'Artiste* n'était pas habilité à céder les droits de reproduction de l'œuvre dans un volume composé de textes autres que des textes déjà publiés par *L'Artiste*. L'écrivain introduisit donc une instance auprès du tribunal de commerce, et ne rentra dans son droit de propriété que deux ans plus tard, le 30 octobre 1834. Lui qui, selon une lettre à sa mère du 11 juin 1832, était déjà alors suffisamment insatisfait de son texte pour demander à Mme de Berny de le corriger, et que la reproduction de *La Transaction* dans *Le Salmigondis* avait particulièrement ennuyé parce qu'il lui « importait de ne pas voir reparaître ce conte sans les corrections nombreuses que voulaient ses imperfections » (lettre à Fournier), était désormais libre de revoir sa copie. Il ne trouverait cependant le temps de le faire qu'au début de l'année suivante.

Dernière mouture

L'homme qui revoit *La Transaction* en mars 1835 n'est plus seulement l'auteur à succès de *La Peau de chagrin* : c'est l'auteur de *La Comédie humaine* en marche. Entre

février 1832 et février 1835, Balzac, qui a cessé toute activité journalistique et se consacre exclusivement à son
œuvre, a écrit et publié : *Louis Lambert* ; *Le Médecin de
campagne* (où il a épuisé le fond du sac des anecdotes
militaires racontées par le groupe de Saint-Cyr, dispersé
depuis le départ des Carraud pour Angoulême) ; *Eugénie
Grandet* ; *Histoire des Treize* (qui réunit, on s'en souvient,
Ferragus, *La Duchesse de Langeais* et *La Fille aux yeux
d'or*) ; *La Femme de trente ans* ; *La Recherche de l'Absolu*.
Il a commencé à écrire *César Birotteau*, il a écrit *Le Père
Goriot*, qui vient de paraître dans la *Revue de Paris*. Il a
inventé le procédé du retour des personnages. Il a aussi
contracté un nombre assez invraisemblable d'engage-
ments envers divers éditeurs, les plus lourds étant le
contrat Béchet d'octobre 1833, pour douze volumes
d'*Études de mœurs au XIXᵉ siècle* (divisées en trois séries :
Scènes de la vie privée, *Scènes de la vie de province* et
Scènes de la vie parisienne) ; et le contrat Werdet de
juin 1834, pour la réimpression en une vingtaine de
volumes des *Romans et contes philosophiques* sous le titre
Études philosophiques, en livraisons de cinq volumes chacune échelonnées entre août 1834 et mars 1835. Le dispo-
sitif de ces « études » constitue la première mise en place
d'ensemble, en quatre séries, de la future *Comédie
humaine*, selon une ordonnance dont la signification est
exposée dans deux introductions que Félix Davin écrivit,
sous l'œil attentif de Balzac, l'une pour l'ensemble des
Études de mœurs [1] et l'autre pour les *Études philosophiques*.

En grande partie pour toucher des avances indispen-
sables afin de régler ses dettes les plus urgentes, Balzac a
promis des œuvres dont il n'a que le titre, et des pro-
messes ne cessent d'arriver à échéance qu'il n'a matériel-
lement pas le temps de tenir. Si encore, pour ce qui

---

1. Voir notre Dossier, *infra*, p. 133 *sq*.

concerne les réimpressions, il se contentait de relire rapidement ses épreuves, il s'en sortirait peut-être, et serait presque à flot financièrement. Mais non. Il ne s'est pas contenté de simples contrats de réimpression, il a promis aussi des inédits qui doivent paraître au milieu des volumes de textes réimprimés ; incapable de les fournir à temps, il doit substituer aux titres prévus des textes déjà parus qu'il est souvent obligé d'« augmenter » – comme les clercs « gonflent » leurs actes ! – pour arriver au poids convenu. En outre, son esprit critique s'est aiguisé, les défauts lui sautent aux yeux, il a désormais des scrupules d'écrivain, des scrupules de style, alors, au lieu de parcourir les énormes paquets d'épreuves qui arrivent implacablement, non seulement il corrige, améliore, enrichit, remanie, voire récrit parfois entièrement le texte, mais il le scrute en détail, va jusqu'à traquer les incorrections grammaticales... et croule évidemment sous l'avalanche de travail.

La Transaction fait partie de ces œuvres qui subirent, pour leur réédition dans les éditions Béchet ou Werdet, une véritable refonte. Refonte que Balzac souhaitait en l'occurrence depuis longtemps, et qui fut rendue d'autant plus nécessaire qu'il avait désormais une nouvelle lectrice, à laquelle il ne voulait soumettre que des œuvres d'une délicatesse et d'une perfection dignes d'elle : Mme Hanska, dont il avait reçu la première lettre en février 1832 et qui était devenue sa correspondante assidue en 1833, puis sa maîtresse au début de 1834 lorsqu'ils se rencontrèrent brièvement à Genève, avant qu'elle retournât vivre pour des années encore en Russie auprès de son mari. À Mme Hanska, Balzac écrit le 30 mars 1835 une de ces lettres parfaitement caractéristiques qui commence par l'inventaire écrasant des obligations auxquelles il doit faire face : « Ne m'en veuillez pas trop de l'irrégularité de mes lettres, je suis accablé de travaux et je sens la nécessité d'en finir afin d'avoir ma chère liberté. [...] J'ai encore six mois de travaux pour en finir avec

Mme Béchet, car j'ai encore trois volumes inédits à faire [ce seront *Le Contrat de mariage* et *La Vieille Fille*, et, très en retard, *Les Souffrances de l'inventeur*, première partie d'*Illusions perdues*] et il est impossible de ne pas compter deux mois par volume. Ainsi vous voyez que je ne ferai qu'atteindre 7bre [en fait, il se débrouillera pour aller rejoindre Mme Hanska en mai à Vienne, où elle séjournera avec son mari]. D'ici là, je dois donner à Werdet 3 livraisons et faire beaucoup d'ouvrage aux Revues. Enfin, depuis environ 20 jours, j'ai travaillé constamment douze heures à *Séraphîta*. Le monde ignore ces immenses travaux, il ne voit et ne doit voir que le résultat. [...] Ce qui m'a horriblement coûté ces derniers jours, c'est la réimpression de *L[ouis] Lambert*, que j'ai essayé de faire arriver à un point de perfection qui me laisse tranquille sur cette œuvre. [...] Puis, j'ai eu pour 20 jours de travail pour refaire *La Comtesse à deux maris* (l'ancienne *Transaction*). J'ai trouvé cela détestable, manquant de goût, de vérité, et j'ai eu le courage de recommencer sous presse. J'ai fait là le même travail que sur *Les Chouans*. Aussi mes cheveux blanchissent-ils à effrayer. [...] » L'ancienne *Transaction* devait en effet être réimprimée au mois de mai 1835 au tome XII des *Études de mœurs*, au volume 4 des *Scènes de la vie parisienne* qui, selon l'introduction aux *Études philosophiques* de Davin, mettent en scène des gens arrivés ou des vieillards, des hommes « brisés par le jeu des intérêts, écrasés entre les rouages d'un monde mécanique », dans une société où « les sentiments vrais sont des exceptions », où « les passions ont fait place à des goût ruineux, à des vices », et où « l'honnête homme est un niais » – série où l'histoire du colonel Chabert était donc parfaitement à sa place.

On ne sait pourquoi Balzac réintitula l'œuvre *La Comtesse à deux maris*, titre plus commercial peut-être (qui rappelait certes celui d'un mélodrame de Pixérécourt, *La Femme à deux maris*, mais l'album prévoyait déjà, on l'a vu, la « femme à deux maris » dans la liste des *Études de femmes*) ; l'intérêt s'en trouvait artificiellement déplacé sur le personnage somme toute secondaire de la comtesse, comme pour faire plaisir à Jules Janin.

Mais on devine en revanche à quoi Balzac fait allusion lorsqu'il parle de fautes de goût. Dans *La Transaction* en effet, Chabert, en échange du renoncement à son état civil, n'exigeait pas seulement la restitution d'une partie de sa fortune : la comtesse acceptait d'ailleurs de constituer à Chabert – sur ce qui était après tout *sa* fortune – une rente de vingt-quatre mille francs (ce qu'elle refusera dans la version définitive, où l'argent est devenu l'obstacle fondamental), et remarquait en riant que « les revenants coûtent cher ». Non, la transaction échouait à propos d'une autre clause : Chabert mettait « une dernière condition à son sacrifice... condition que... – Derville hésita – à laquelle, reprit-il, je n'ai jamais pu le faire renoncer. – Quelle est-elle ? demanda la comtesse, dont la curiosité fut fortement excitée. – Il veut, madame, que pendant deux jours, pris l'un au commencement, et l'autre au milieu du mois, et dans chaque mois de l'année, tous ses droits d'époux soient reconnus par vous... – Quelle horreur ! s'écria la comtesse en se levant. – Madame, il prétendait jouir de six jours... C'est moi qui... – Assez, dit la comtesse, nous plaiderons, monsieur ! ». On ne s'étonne pas, à la lecture de cet extraordinaire acte notarié, que Balzac ait voulu dès 1832 revoir son texte ! Cette clause d'un goût en effet assez douteux, qui rappelle certaines gaillardises un peu grasses de la *Physiologie du mariage* ou des *Contes drolatiques*, est certes atténuée dans la suite du texte, lorsque Chabert explique à la comtesse qu'il n'en aurait jamais exigé l'application, mais qu'il voulait seulement par vengeance « être un remords vivant dans [son] bonheur, le salir par une pensée, par une prostitution » (terme annonçant une des modifications du passé de la comtesse, laquelle, d'ancienne femme de chambre dans *La Transaction*, deviendra dans *La Comtesse à deux maris* une ancienne prostituée). Il n'en demeure pas moins que la dignité du personnage de Chabert et la simple vraisemblance commandaient évidemment la suppression de ce détail d'une extravagance déplacée.

Quant aux autres modifications, minutieusement étudiées par Pierre Citron, elles sont de plusieurs ordres. D'abord, l'histoire est racontée directement par Balzac lui-même, narrateur omniscient, et non plus comme si Derville la lui avait racontée, artifice qui était peu convaincant. Ensuite, Balzac transforme les cinq chapitres assez approximativement découpés de *La Transaction* en trois parties équilibrées : la scène d'étude et le récit de Chabert sont désormais réunis en un seul chapitre d'exposition ; les deux visites, la confrontation et la rupture en un seul chapitre central ; et les deux dernières entrevues de Chabert et de Derville en un seul chapitre de dénouement. L'œuvre grossit environ d'un tiers : l'étude de Derville et la maison de Vergniaud sont décrites beaucoup plus longuement, le passé des époux Ferraud, leurs carrières sont reconstruits avec beaucoup plus de soin ; les réalités juridiques sont exprimées dans un langage plus technique et plus précis, et exposées de manière vivante et directe dans des dialogues plus nombreux. La technique du retour des personnages impose aussi que Balzac nomme certains personnages jusque-là anonymes, le notaire Crottat, le clerc Godeschal, et ajoute des allusions à d'autres histoires [1]. Autour de Chabert se construit ainsi une réalité sociale plus « palpable », plus organisée, plus complexe, et Chabert, comme le dit fort bien Pierre Citron, se heurte désormais, autant qu'à des volontés personnelles et à des égoïsmes privés, à une masse imposante et inerte d'intérêts et de structures qui l'excluent – son personnage en grandit d'autant. La note finale ne porte d'ailleurs plus sur la destinée de Chabert, mais sur un certain état social : en écho aux propos de l'avoué des *Dangers de l'inconduite*, futur Derville, qui

---

1. Allusions éclaircies dans les notes.

s'exclamait déjà dans ce qui deviendrait *Gobseck* : « La vie, les hommes me faisaient horreur », *La Comtesse à deux maris*, ainsi confirmée à sa place au côté du *Père Goriot* dans la série des drames parisiens, se termine sur cette phrase de Derville : « Paris me fait horreur. »

Balzac peut légitimement écrire, par la plume de Félix Davin, dans l'introduction aux *Études de mœurs* (écrite avant l'introduction aux *Études philosophiques*, mais publiée après, en tête du premier volume des *Scènes de la vie privée*, qui parut en juin 1835), que, « grâce aux changements heureux que l'auteur vient de faire subir à *La Comtesse à deux maris*, [...] cette étude est désormais irréprochable ». En 1844, pour l'édition de *La Comédie humaine*, il ne lui apportera que quelques corrections mineures, nommera encore quelques personnages restés anonymes, fera quelques raccords, en particulier chronologiques, avec les œuvres écrites entre-temps, et surtout, donnera enfin au texte son titre définitif, bien meilleur que les précédents : *Le Colonel Chabert*. Dans les marges de son exemplaire de l'édition Furne enfin, après avoir corrigé quelques fautes de ponctuation et de style, Balzac modifiera une ultime fois la dernière phrase du texte : au « Paris me fait horreur » de Derville, un peu mélodramatique, l'écrivain qui, écrit André Billy, avait appris chez Guillonnet-Merville à voir l'humanité en noir, ajoutera cette remarque désabusée, qui enterre définitivement Chabert dans les oubliettes des annales judiciaires : « J'en ai déjà vu bien d'autres chez Desroches, répondit Godeschal. »

En 1832, la mort de l'Aiglon venait de faire renaître dans le public des sentiments bonapartistes, et l'on peut certes arguer avec Bernard Guyon que *Chabert*, la pièce d'Arago et Lurine, a bénéficié des retombées émotionnelles de cet événement émouvant sur un parterre d'ailleurs « composé peut-être des mêmes hommes qui ont pendant quinze ans tourné en ridicule la noble misère des émigrés et l'héroïque fidélité des Vendéens », selon *La*

Quotidienne, journal monarchiste. Mais *Le Colonel Chabert* a fait depuis sa publication l'objet de tant d'adaptations théâtrales, de traductions dans plusieurs langues (et même de plusieurs traductions différentes dans une même langue : en 1961, Pierre Citron relevait déjà trois traductions en anglais et huit traductions en allemand [1] en dehors des éditions dans les œuvres complètes), d'études critiques, de rééditions, et d'adaptations cinématographiques en France et à l'étranger (les plus connues étant celle de René Le Hénaff en 1943, avec Raimu, et celle d'Yves Angelo en 1994, avec Depardieu), qu'il faut se rendre à l'évidence : *Le Colonel Chabert* ne tirait pas sa puissance d'émotion des seules circonstances historiques, mais remuait profondément des sentiments universels.

LA RÈGLE DU JEU

Il y a quelque chose de mystérieusement irrépressible dans l'immédiate sympathie que Balzac réussit encore à nous faire ressentir aujourd'hui, à l'heure où pourtant les militaires ne sont plus guère en vogue en littérature, pour le personnage de Chabert. L'écrivain joue, il est vrai, mais avec habileté et retenue, sur les cordes les plus éprouvées du pathétique ; ancien « fabricant » de mélodrames et de romans gothiques, il sait que le lecteur s'identifie instinctivement avec les victimes, les blessés, les orphelins, les faibles injustement dépossédés, les humiliés. Il fait d'entrée de jeu subir à son personnage une humiliation toute simple à laquelle le lecteur moderne, soumis quotidiennement à des mortifications administratives et bureaucratiques devenues banales, est peut-être particulièrement sensible : en guise de bienvenue, un employé lance des boulettes de mie de pain à l'inconnu qui se

---

1. L'œuvre continue d'ailleurs à susciter régulièrement des commentaires en Allemagne : voir en fin de volume notre bibliographie.

présente à l'étude, vieil homme dans un costume certes pitoyable, mais digne et poli, à qui personne n'avance même une chaise, et qui se révélera avoir subi le feu des canons d'Austerlitz. On approuve lorsque l'effronté se fait finalement tirer l'oreille par Chabert – mais ce n'est pas tant le manque de respect du jeune saute-ruisseau qui importe, que l'amorce par ce détail symbolique d'un processus d'humiliation bureaucratique qui aboutira, *via* une arrestation pour vagabondage, à la réduction littérale de l'homme à un numéro. Balzac tire aussi dès le début le plus grand parti de la scène, dramatisée par un puissant clair-obscur, au cours de laquelle Chabert découvre à Derville la cicatrice de sa terrible blessure à la tête. Puis, alors qu'il a éliminé au fil des éditions certains détails qui pouvaient dénoter chez Chabert la mâle rugosité des grognards, il multiplie les allusions à sa naïveté et à sa candeur, sous prétexte ici qu'il y a souvent de l'enfant chez le soldat, là qu'il y a souvent de l'enfant chez le vieillard. Et, par cent petites notations, il ne cesse de nous rappeler que Chabert est, et reste, un enfant trouvé, un orphelin sans protection, qui, au sortir de la fosse d'Eylau, s'est retrouvé aussi nu et vulnérable que le nouveau-né abandonné sur le perron de l'hospice. Lors de l'entrevue nocturne de Chabert et de Derville, Balzac note par exemple que les yeux de Chabert paraissent couverts d'une taie transparente – comme ceux d'un cadavre, mais aussi comme ceux d'un nouveau-né. Pitoyables ceux que le sort étouffe, et c'est peu dire que le sort s'acharne à faire rentrer Chabert sous terre, à le refourrer dans la matrice répugnante dont il s'est accouché tout seul à si grand-peine : en attendant de renaître une troisième fois, cette fois en tâchant de s'extraire de l'obscur cloaque juridique, aux odeurs nauséeuses et aux couleurs pisseuses (le jaune administratif des cartons et des affiches de l'étude, des murs du tribunal), Chabert végète dans le taudis de Vergniaud, aux murs faits *d'ossements et de terre*, aux chambres *enterrées*, lieu ignoble qui sent le fumier. Du moins Vergniaud est-il pour Chabert, seul avec la femme allemande anonyme de Heilsberg, une figure nourricière, dans cet univers impitoyable où nul ne songe à proposer un morceau de pain au vieil enfant trouvé, piteux et efflanqué, lequel est d'entrée de jeu apostrophé, comme un chien errant dans une cuisine, par un clerc à la bouche pleine, dans un bureau plein de victuailles et rempli d'odeurs de nourriture, où tout le monde est en train de manger.

Impossible aussi, et Balzac le sait bien, de rester insensible à la vaine quête de l'orphelin qui s'est toute sa vie cherché des parents de substitution, et a dans son ignorance bien mal placé sa confiance et sa générosité. Le cliché du vieux soldat proclamant n'avoir eu qu'un père – Napoléon –, et qu'une famille – ses frères d'armes –, Balzac le recharge en pathétique en montrant Chabert passionnément fidèle au souvenir d'un « père » dont l'écrivain suggère au lecteur qu'il ne mérite pas une telle ferveur ; un père glorieux qui, certes, a gratifié l'enfant trouvé, en récompense des services rendus, d'un titre et d'une Légion d'honneur (mais Bonaparte lui-même considérait cyniquement croix et rubans comme de simples « hochets »), mais un père qui a abandonné un peu vite « son Chabert » sur le champ de bataille, un père qui a bel et bien signé sa perte et sa ruine en signant son acte de décès, puis en approuvant personnellement, parce que cela servait ses intérêts politiques, le remariage de sa veuve. Aux yeux du lecteur, ce père n'a pas non plus fait preuve, hors des champs de bataille, de la loyauté et de la virilité solaire que Chabert continue de célébrer en lui : tandis que le rescapé luttait entre la vie et la mort quelque part en Prusse orientale, Napoléon s'employait à Paris à « séduire » un comte Ferraud par des « coquetteries »… Quant à trouver, maintenant que Napoléon est à Sainte-Hélène, un père en Louis XVIII – « ce gros farceur-là », comme l'appellent irrespectueusement les clercs, qui ne pense qu'à voir se refermer « l'abîme des révolutions » –, ce n'est même pas la peine d'y songer.

Balzac approfondit très habilement ce thème de la quête d'un « père ». Puisque la bataille judiciaire s'est, dans la vie de Chabert et de la société tout entière, substituée à la bataille militaire (qui d'ailleurs n'est vraiment décrite nulle part dans l'œuvre de Balzac, comme le fait remarquer Patrick Berthier), puisqu'on est passé des actes de bravoure aux actes notariés, du code d'honneur au code civil, Derville va dans l'esprit de Chabert se substituer à Napoléon, à la tête de sa troupe de clercs : ne voit-on pas Godeschal, dès le début du texte, enfourner une « bouchée de pain avec laquelle on eût pu charger une pièce de quatre » ? Derville est comme Napoléon un travailleur acharné, une « prodigieuse intelligence », qui consume ses nuits à « fouiller les arsenaux du Code et faire ses plans de bataille ». Chabert lui déclare : « Après l'Empereur, vous serez l'homme auquel je devrai le plus. » Il appelle Derville, comme il appelait Napoléon, « patron », et lui reconnaît le courage du soldat : « Vous êtes un brave. » Et Derville va demander à Chabert la même confiance aveugle que celle que le soldat a accordée à l'Empereur : il le mènera à la victoire à condition qu'il « s'abandonne à lui comme un homme qui marche à la mort ». Finalement, lorsque Chabert, transgressant les ordres de Derville, intervient maladroitement lors de l'entrevue de conciliation entre l'avoué et la comtesse, Derville, malgré la grande différence d'âge, le rabroue comme un père : « Grand enfant, laissez-moi réparer vos sottises. » En fait d'empire, Chabert n'a plus que celui qu'il exerce sur les enfants de Vergniaud.

Chabert s'est évidemment aussi cherché une « mère » de substitution, bien que d'une manière plus oblique : n'était-ce pas aussi en partie, en effet, une figure paradoxalement maternelle que Chabert trouva dans la prostituée du Palais-Royal ? Ce sont bien les prostituées, entre autres, qui abandonnent leurs enfants non désirés aux

Enfants-Trouvés, et Rose Chapotel aurait fort bien pu le faire elle-même. La générosité de Chabert, qui implicitement, en épousant Rose, pardonnait à la mère qui l'avait abandonné, fut elle aussi cruellement trahie : car il est clair, contrairement à ce qu'ont pu suggérer certains critiques, que la comtesse a effectivement reçu et ignoré les lettres que lui a envoyées Chabert, et qu'elle savait parfaitement, à l'heure de se remarier, que Chabert était vivant quelque part. Chabert se voit entraîner dans une bataille conjugale qui, comme la bataille juridique, n'obéit absolument plus aux règles des batailles militaires où il s'est illustré, une « guerre odieuse » où, derrière le paravent de la loi, tous les coups sont permis, toutes les faussetés, tous les mensonges, une cruelle comédie dans cette société de la Restauration où tout, même la misère d'autrui, est spectacle, où l'on se divertit de tout, où la plus belle récompense est d'*aller au théâtre*. Dans cette comédie, Chabert a beau ne rien tant vouloir qu'être lui-même, il est contraint de jouer un rôle, de changer de costume – et le costume (un habit de drap bleu qui rappelle au passage le fameux habit bleu à boutons d'or qu'arborait alors Balzac, avec sa « massue » à pommeau de turquoises) lui redonne une identité de théâtre, le rend reconnaissable aux yeux des passants dans le rôle du « beau débris de notre ancienne armée », et lui donne le courage de tirer, à retardement, l'oreille de Simonnin. Il est même contraint, lui qui était toujours au cœur de l'action, d'attendre dans la coulisse le moment d'entrer en scène. Et, pour faire face à la comédienne consommée qui s'est fait une seconde nature de ses rôles de comtesse – comtesse de l'Empire puis comtesse de la Restauration et « femme comme il faut » –, il aurait été sauvé s'il s'en était aveuglément remis à Derville, spécialiste de la joute verbale juridique et aussi, à l'occasion, metteur en scène de comédie classique, qui ne s'en laisse pas conter parce qu'il connaît le dialogue de la pièce et sait « tourner et retourner sur le gril » ce genre de femme ; malheureusement pour lui, Chabert n'est pas, comme l'en a soupçonné un moment Derville après le récit de son incroyable histoire, « le plus habile comédien de notre époque ».

Dès le début de l'histoire, alors que tout le monde semble être passé maître dans l'art de se servir des mots – et en premier lieu les clercs qui tirent à la ligne avec un luxe de périphrases, ironisent, jonglent avec les onomatopées et les interjections, parlent en argot –, Chabert, homme simple et droit, sans malice, fragile homme de cœur épuisé que l'émotion brise et rend muet, est trahi par les mots, par le langage. L'irruption du revenant Chabert – qui a « l'air d'un déterré » parce qu'il *est* un déterré, qui est littéralement un « fameux *crâne* » parce que son crâne a effectivement été fendu d'un coup de sabre – met en évidence l'existence d'un nouveau mode d'emploi des signes, d'un usage *oblique* que reflètent dans le texte des *italiques*, et dont Chabert ne saurait avoir le secret, puisqu'il n'a pas vécu les étapes du bouleversement politique et social dont cette évolution linguistique participe. Les mêmes choses n'ont plus le même nom, la rue où Chabert habitait, sa femme. Les mêmes mots ne recouvrent plus la même réalité – le mot « justice » par exemple, dans une société où le droit semble à Chabert ne plus avoir de rapport avec la morale. Et, comme l'écrit Balzac en se souvenant de Bossuet, il n'y a pas de mot dans le langage humain pour décrire un être comme Chabert lui-même.

Cet être proprement « innommable » est obligé, pour essayer de recouvrer ce nom qui à l'origine n'était même pas son « vrai » nom mais celui qu'on lui avait donné aux Enfants-Trouvés (Hyacinthe *dit Chabert*), de parler de lui-même comme d'un mort – ce qui, puisqu'on n'est pas dans un roman gothique, le met dans une position assez vertigineuse et donne à sa conversation avec Derville une sorte de folie que Balzac rend sensible par des phrases comme : « Monsieur, dit l'homme mort »…

Piégé par son langage trop droit et trop direct dans un monde où les échanges linguistiques, contaminés par le « juridisme », sont tous devenus « transactionnels », naïf de surcroît au point de raconter qu'on l'a tenu pour fou et innocent au point de croire que son cas est *simple*, cet homme mort a beau dire la vérité, il est dans une position aberrante ; au mieux le lecteur lui-même, ému mais déstabilisé, ne peut d'abord, comme Derville, que *miser* sur son récit – effet atténué il est vrai depuis que la nouvelle est intitulée *Le Colonel Chabert*, car le lecteur n'est tout de même pas habitué à mettre en doute l'identité d'un héros éponyme. Le récit improbable de cet homme mort ou fou, qui s'il est vivant ne peut pas être celui qu'il prétend, ne vaut pas grand-chose, tout juste le pari de quelques francs gagnés au jeu, prêtés par une sorte de jeu aussi à cet enfant de fortune sauvé de l'écrasement puis de l'étouffement par le hasard qui disposa au-dessus de lui deux cadavres *en forme de château de cartes*. Et la comtesse, qui a parfaitement saisi tout le parti qu'elle pouvait tirer de l'irrecevabilité dans laquelle sa situation enferme Chabert, se garde bien d'opposer son récit à celui de Chabert ; elle coupe même court aux descriptions d'état civil de Derville, dont elle craint les subtiles manipulations verbales, puisqu'il lui suffit de toute façon de se retrancher derrière le *nom* qu'elle porte ici et maintenant, fermement établi par des *actes*. Ce n'est qu'au moment où Chabert, en dépit des recommandations de Derville, surgit dans l'étude et commence à « déterrer » *son* histoire à elle, que, se sentant menacée, elle quitte la place et adopte immédiatement la stratégie à laquelle, avec une intuition infaillible, elle avait pensé tout d'abord : la spéculation sur la tendresse de son premier mari. Chabert tombe à pieds joints dans le piège contre lequel pourtant Derville l'avait mis en garde, se laisse entraîner à Groslay et entortiller par les savants mensonges et la comédie sentimentale de la comtesse, dont le but à partir de ce moment est explicitement « d'anéantir socialement » Chabert – comme « les bureaux voudraient pouvoir anéantir les gens de l'Empire ». Passée d'homme en homme d'abord comme prostituée puis comme épouse, habile depuis des années à exploiter les circonstances, elle sait s'y prendre, choisit le costume adapté à ses desseins, la désarmante capote doublée de *rose*... et n'hésite pas une seconde à se servir de ses enfants pour attendrir et circonvenir le vieil enfant trouvé, tout disposé à se contenter d'être traité en vieux parent quelconque recueilli par charité. Ce n'est que lorsque la comtesse ne veut pas se contenter de sa « parole d'honneur » mais réclame un renoncement « authentique » que Chabert, gêné par le décalage linguistique, commence à se sentir mal à l'aise, à douter, avec beaucoup de scrupules, de la sincérité de la comtesse.

Lorsqu'il découvre finalement, par un hasard, la froide et répugnante manœuvre, Chabert renonce avec mépris à lutter contre des ennemis déloyaux et indignes de lui, et ce dénouement permet en fait à la *parole* du « loyal soldat » de fonctionner « à l'ancienne » une dernière fois : « Vivez tranquille *sur la foi de ma parole*, dit-il à la comtesse, elle vaut mieux que les griffonnages de tous les notaires de Paris » ; et en effet sa femme, « avec la perspicacité que donne une haute scélératesse ou le féroce égoïsme du monde », sait qu'elle peut désormais vivre en paix sur cette promesse. À la surprise de Derville lui-même, Chabert a bel et bien renoncé à tout droit sur sa fortune, et, comme il le précise à l'avoué, à cette « vie extérieure à laquelle tiennent la plupart des hommes », à quoi il ajoute, avec un geste « plein d'enfantillage », qu'il « vaut mieux avoir du luxe dans ses sentiments que sur ses habits » et qu'il ne craint, quant à lui, le mépris de personne. Sur le banc de Bicêtre, le vieux colonel, dépouillé de tout, transi depuis que son soleil – Napoléon – s'est couché, trouvera enfin, dernier jeu sur les mots, dernière dérision linguistique, une « place au soleil ». Il a renoncé à défendre son identité, cet « *ego* » (et l'on notera l'emploi singulièrement moderne du mot) qui, dès le début du texte, était déjà devenu un « objet secondaire » dans son esprit tellement les plus petits obstacles avaient pendant dix ans été difficiles à surmonter. Il a renoncé au nom que lui avait prêté l'orphelinat, mais aussi aux mots qui l'ont tellement trahi : du bout d'un bâton, c'est à lui-même qu'il raconte son histoire irrecevable, en traçant « des raies sur le sable ». Et son « dernier mot » sera l'arabesque que, de sa canne, il décrit dans l'air, une « arabesque imaginaire » – et peut-être aussi philosophique que celle qui servait d'épigraphe à *La Peau de chagrin*. Dans l'enveloppe martyrisée par les souffrances physiques, mentales et affectives, où le cœur, meurtri mais aussi raffiné par les épreuves, a petit à petit pris toute la place, un esprit « plein de philosophie et d'imagination » survit-il vraiment, comme l'affirme l'un des compagnons d'hospice de Chabert ? Le « vieux malin » semble avoir tout du moins trouvé le secret d'un bon usage de la mémoire, d'un bonheur dans le ressassement – alors que l'année même où Balzac récrivait *La Transaction*, en 1835, le peintre d'Eylau, le baron Gros lui-même [1], chantre de l'épopée impériale depuis le pont

---

1. Cinq semaines après Eylau, un tableau avait été mis au concours dont Denon, le directeur des Musées, avait rédigé ainsi le programme : « Le moment est celui où, Sa Majesté visitant le champ de bataille d'Eylau pour faire distribuer des secours aux blessés, un jeune hussard lituanien, auquel un boulet avait emporté le genou, se soulève vers l'Empereur et lui dit : "César, tu veux que je vive, eh bien, qu'on me guérisse et je te servirai fidèlement comme j'ai servi Alexandre !" » Antoine Jean Gros réalisa *Napoléon visitant le champ de bataille d'Eylau*, œuvre gigantesque (5,33 × 8 m), acclamée au Salon de 1808 et aujourd'hui au Louvre. La police avait jugé, au vu des œuvres en lice, que « les artistes avaient accumulé tous les genres de mutilation, les variétés d'une vaste boucherie comme s'ils eussent eu à peindre précisément une scène d'horreur et de carnage [ce que fut Eylau], et à rendre la guerre exécrable ». La peinture de l'émotion de l'Empereur est en effet très oblitérée par l'amoncellement, au premier plan, d'impressionnants cadavres verdâtres, représentés, en raison de l'échelle du tableau, plus grands que nature. Voir *infra*, p. 165.

d'Arcole, se jetait dans la Seine, désespéré de l'oubli où il était tombé.

À ce personnage déchu mais d'une dignité exemplaire, qui a surmonté son désir de vengeance et qui, envers et contre tout, a eu la grandeur de renoncer à une identité sociale de compromis et au confort matériel afin de préserver à ses propres yeux son intégrité morale, sa « sauvage pudeur, [sa] probité sévère, [son] caractère généreux, [et ses] vertus primitives », son auteur épargnera en tout cas la mort. Dans un style épuré, au fil des rééditions, d'un trop-plein de vocables devenus entre-temps des tics romantiques – « épouvantable », « sublime » –, et après s'être même explicitement distancié du romantisme de sa jeunesse en glissant *in fine* dans la bouche de Derville (qui là encore se révèle être un peu son double) cette nuance : « Ce vieux-là, mon cher, est tout un poème, *ou, comme disent les romantiques, un drame* », Balzac aura finalement élevé son personnage à la hauteur des souvenirs de Bossuet et de Shakespeare qui affleuraient dans *La Transaction*. Du fond de son hospice, vieux miraculé inutile et nu d'une épopée éteinte, le colonel Chabert rayonne à vide, dans les limbes d'une époque qui n'a plus rien d'épique, de cette droiture qui, en d'autres temps, distinguait les héros tragiques.

Nadine SATIAT.

NOTE SUR LA PRÉSENTE ÉDITION

La première version imprimée de la nouvelle, intitulée *La Transaction*, parut dans *L'Artiste* en quatre livraisons, les 19 et 26 février, et les 5 et 12 mars 1832, et découpée en quatre chapitres suivis d'une conclusion ; les notes affectées d'un A. indiquent le découpage des chapitres et leurs titres dans *L'Artiste*.

Une seconde version, remaniée et réintitulée *La Comtesse à deux maris*, parut en 1835 au tome XII des *Études de mœurs au XIXᵉ siècle* (parmi les *Scènes de la vie parisienne*) éditées par Mme Veuve Béchet ; dans cette édition, considérée comme l'originale, le texte était découpé en trois chapitres ; les notes affectées d'un B. indiquent le découpage des chapitres et leurs titres dans l'édition Béchet.

Une troisième version, sous le titre définitif *Le Colonel Chabert*, parut en 1844 dans le cadre de *La Comédie humaine* éditée par Furne, au tome II des *Scènes de la vie parisienne* ; tout découpage en chapitres est supprimé.

Le texte de la présente édition est celui du « Furne corrigé », exemplaire personnel de Balzac annoté en vue d'une nouvelle édition de *La Comédie humaine* ; dans son nouveau catalogue de *La Comédie humaine* (1845), Balzac indiqua qu'il souhaitait situer finalement *Le Colonel Chabert* dans les *Scènes de la vie privée*.

Illustration de Célestin Nanteuil (1813-1873)

Le Colonel Chabert

À Madame la comtesse Ida de Bocarmé, née du Chasteler [1]

« Allons ! encore notre vieux carrick [2] ! »

Cette exclamation échappait à un clerc appartenant au genre de ceux qu'on appelle dans les études des *saute-ruisseaux*, et qui mordait en ce moment de fort bon appétit dans un morceau de pain ; il en arracha un peu de

---

1. Cette comtesse belge (1797-1872), après une jeunesse passée au couvent, eut une vie d'aventures. Elle avait, en 1819, suivi son mari, nommé inspecteur général des Domaines, à Java – et accouché en route, au milieu d'une terrible tempête, de son premier enfant. Revenue en Europe avec ce fils, Hippolyte, et une fille (qui devait épouser en 1845 un descendant de Pizarre), elle mena une vie de lectures et de voyages, tandis que son mari, déchu de ses fonctions en 1830 (lors de la séparation de la Belgique et de la Hollande), choisissait la vie sauvage dans le lointain Arkansas. Elle fit la connaissance de Balzac en février 1833, et n'eut de cesse de plaire à son grand homme ; entre autres travaux, elle reproduisit à l'aquarelle les soixante-cinq blasons de l'armorial imaginé par Ferdinand de Grammont pour les grandes familles de *La Comédie humaine*. Bien que l'adoration de cette femme « vraiment bonne », que Balzac appelait sa Bettina (du nom de la célèbre admiratrice de Goethe), fût vite devenue assez importune, Balzac lui dédia tout de même *Le Colonel Chabert* en 1844, lorsque le texte entra dans *La Comédie humaine*. Cette dédicace allait se révéler étrangement appropriée. Quelques mois après la mort de Balzac, Mme de Bocarmé vécut en effet un drame horrible. Son fils Hippolyte, à l'instigation de son épouse, et pour s'assurer l'entière succession de son beau-père (un épicier enrichi qui s'était acheté des terres et un titre après la Révolution), empoisonna son beau-frère. À l'issue d'un procès resté célèbre, au cours duquel Mme de Bocarmé s'épuisa à le défendre, Hippolyte fut seul condamné, et exécuté sur la place de Mons. Ainsi la vie de cette adoratrice de Balzac s'acheva, comme celle du colonel Chabert, dans le souvenir d'une froide machination conjugale et d'un cauchemar judiciaire dont l'imagination de l'écrivain n'aurait sans doute pas dédaigné de s'emparer.

2. Ce mot d'origine écossaise désigne une ample redingote à plusieurs capes superposées sur les épaules, telle qu'en portaient les cochers (le même mot désignait aussi d'ailleurs un type de voiture). Sur cette phrase commençait : A. : « I. Scène d'étude » ; B. : « Une étude d'avoué ».

mie pour faire une boulette et la lança railleusement par le vasistas d'une fenêtre sur laquelle il s'appuyait. Bien dirigée, la boulette rebondit presque à la hauteur de la croisée, après avoir frappé le chapeau d'un inconnu qui traversait la cour d'une maison située rue Vivienne, où demeurait Me Derville, avoué.

« Allons, Simonnin, ne faites donc pas de sottises aux gens, ou je vous mets à la porte. Quelque pauvre que soit un client, c'est toujours un homme, que diable ! » dit le Maître clerc en interrompant l'addition d'un mémoire de frais.

Le saute-ruisseau est généralement, comme était Simonnin, un garçon de treize à quatorze ans, qui dans toutes les études se trouve sous la domination spéciale du Principal clerc dont les commissions et les billets doux l'occupent tout en allant porter des exploits chez les huissiers et des placets au Palais. Il tient au gamin [1] de Paris par ses mœurs, et à la Chicane par sa destinée. Cet enfant est presque toujours sans pitié, sans frein, indisciplinable, faiseur de couplets, goguenard, avide et paresseux. Néanmoins presque tous les petits clercs ont une vieille mère logée à un cinquième étage avec laquelle ils partagent les trente ou quarante francs qui leur sont alloués par mois.

« Si c'est un homme, pourquoi l'appelez-vous *vieux carrick* ? » dit Simonnin de l'air de l'écolier qui prend son maître en faute.

Et il se remit à manger son pain et son fromage en accotant son épaule sur le montant de la fenêtre, car il

---

1. *Gamin* se disait alors « ordinairement, par mépris, des petits garçons qui passent leur temps à jouer et à polissonner dans les rues » (*Académie*, 1835), et avait donc une nuance péjorative. Balzac, note Pierre Citron, avait été l'un des premiers à mettre en scène, dans *La Reconnaissance du gamin* (*La Caricature*, 11 novembre 1830), le type littéraire du « gamin de Paris » qui devait culminer avec le Gavroche de Hugo.

se reposait debout, ainsi que les chevaux de coucou[1], l'une de ses jambes relevée et appuyée contre l'autre, sur le bout du soulier.

« Quel tour pourrions-nous jouer à ce chinois-là ? » dit à voix basse le troisième clerc nommé Godeschal en s'arrêtant au milieu d'un raisonnement qu'il engendrait dans une requête grossoyée par le quatrième clerc et dont les copies étaient faites par deux néophytes venus de province. Puis il continua son improvisation : ... *Mais, dans sa noble et bienveillante sagesse, Sa Majesté Louis Dix-Huit* (mettez en toutes lettres, hé ! Desroches le savant qui faites la Grosse[2] !), *au moment où Elle reprit les rênes de son royaume, comprit...* (qu'est-ce qu'il comprit, ce gros farceur-là ?) *la haute mission à laquelle Elle était appelée par la divine Providence !......* (point admiratif et six points : on est assez religieux au Palais pour nous les passer), *et sa première pensée fut, ainsi que le prouve la date de l'ordonnance ci-dessous désignée, de réparer les infortunes causées par les affreux et tristes désastres de nos temps révolutionnaires, en restituant à ses fidèles et nombreux serviteurs* (nombreux est une flatterie qui doit plaire au Tribunal) *tous leurs biens non vendus, soit qu'ils se trouvassent dans le domaine public, soit qu'ils se trouvassent dans le domaine ordinaire ou extraordinaire de la couronne, soit enfin qu'ils se trouvassent dans les dotations*

---

1. Les *coucous* (longtemps appelés *pots de chambre* au XVIIIe siècle) étaient de petites voitures publiques à quatre ou six places, plus deux à l'impériale, qui parcouraient les environs de Paris (cf. *Un début dans la vie*) ; elles disparurent à mesure que prospérèrent les omnibus, vers 1830.

2. La *grosse* était habituellement la copie littérale, en gros caractères, d'un acte ou d'un jugement, revêtue de la formule dite « exécutoire », c'est-à-dire justifiant le recours à la force publique pour en assurer l'exécution. Mais, par exception, le mot désigne l'*original* d'une requête. La copie sur papier timbré était payée à la page et, pour avoir été clerc, Balzac connaît toutes les manières de tirer à la ligne ! En l'occurrence, on l'apprendra plus loin, c'est peine perdue que toutes ces périphrases, puisque l'affaire en question a été entreprise à forfait.

d'établissements publics, car nous sommes et nous nous prétendons habiles à soutenir que tel est l'esprit et le sens de la fameuse et si loyale ordonnance [1] *rendue en…* ! « Attendez, dit Godeschal aux trois clercs, cette scélérate de phrase a rempli la fin de ma page. – Eh bien, reprit-il en mouillant de sa langue le dos du cahier afin de pouvoir tourner la page épaisse de son papier timbré, eh bien, si vous voulez lui faire une farce, il faut lui dire que le patron ne peut parler à ses clients qu'entre deux et trois heures du matin : nous verrons s'il viendra, le vieux malfaiteur ! » Et Godeschal reprit la phrase commencée : « *rendue en…* Y êtes-vous ? demanda-t-il.

– Oui », crièrent les trois copistes.

Tout marchait à la fois, la requête, la causerie et la conspiration.

« *Rendue en…* Hein ? papa Boucard, quelle est la date de l'ordonnance ? il faut mettre les points sur les i, saquerlotte ! Cela fait des pages.

– *Saquerlotte !* répéta l'un des copistes avant que Boucard le Maître clerc n'eût répondu.

– Comment, vous avez écrit *saquerlotte* ? s'écria Godeschal en regardant l'un des nouveaux venus d'un air à la fois sévère et goguenard.

– Mais oui, dit Desroches le quatrième clerc en se penchant sur la copie de son voisin, il a écrit : *Il faut mettre les points sur les i*, et *sakerlotte* avec un k.

Tous les clercs partirent d'un grand éclat de rire.

« Comment, monsieur Huré, vous prenez *saquerlotte*

---

1. Il s'agit de l'ordonnance de décembre 1814 (et non de juin, comme il est dit plus loin), qui restituait à leurs anciens propriétaires les biens nationaux non encore liquidés – excepté les biens affectés à un service public, « pendant le temps qu'il sera jugé nécessaire de leur laisser cette destination », précisait l'ordonnance. Pierre Citron signale que Balzac avait déjà donné une première version de ce développement amphigourique à propos de l'ordonnance de 1814 dans le *Code des gens honnêtes* (1825).

pour un terme de Droit, et vous dites que vous êtes de Mortagne [1] ! s'écria Simonnin.

– Effacez bien ça ! dit le Principal clerc. Si le juge chargé de taxer le dossier voyait des choses pareilles, il dirait qu'on *se moque de la barbouillée* [2] ! Vous causeriez des désagréments au patron. Allons, ne faites plus de ces bêtises-là, monsieur Huré ! Un Normand ne doit pas écrire insouciamment une requête. C'est le : *Portez arme !* de la Basoche.

– *Rendue en… en ?…* demanda Godeschal. Dites-moi donc quand, Boucard ?

– Juin 1814 », répondit le Premier clerc sans quitter son travail.

Un coup frappé à la porte de l'étude interrompit la phrase de la prolixe requête. Cinq clercs bien endentés, aux yeux vifs et railleurs, aux têtes crépues, levèrent le nez vers la porte, après avoir tous crié d'une voix de chantre : « Entrez. » Boucard resta la face ensevelie dans un monceau d'actes, nommés *brouille* en style de Palais, et continua de dresser le mémoire de frais auquel il travaillait.

L'étude était une grande pièce ornée du poêle classique qui garnit tous les antres de la chicane. Les tuyaux traversaient diagonalement la chambre et rejoignaient une cheminée condamnée sur le marbre de laquelle se voyaient divers morceaux de pain, des triangles de fromage de Brie, des côtelettes de porc frais, des verres, des bouteilles, et la tasse de chocolat du Maître clerc. L'odeur de ces comestibles s'amalgamait si bien avec la puanteur du poêle chauffé sans mesure, avec le parfum particulier aux

1. D'après nos recherches, *saquerlotte* serait en effet une variante normande et picarde de *saperlotte* ; Mortagne-au-Perche est un chef-lieu de canton de l'Orne, en Basse-Normandie. Huré le Normand devrait tout de même savoir cela !

2. *Se moquer de la barbouillée* signifiait « débiter des absurdités », ou bien, comme ici, « se moquer de tout, pourvu qu'on fasse bien ses affaires » (*Larousse*).

bureaux et aux paperasses, que la puanteur d'un renard n'y aurait pas été sensible. Le plancher était déjà couvert de fange et de neige apportée [1] par les clercs. Près de la fenêtre se trouvait le secrétaire à cylindre du Principal, et auquel était adossée la petite table destinée au second clerc. Le second *faisait* en ce moment *le palais*. Il pouvait être de huit à neuf heures du matin. L'étude avait pour tout ornement ces grandes affiches jaunes qui annoncent des saisies immobilières, des ventes, des licitations entre majeurs et mineurs, des adjudications définitives ou préparatoires, la gloire des études ! Derrière le Maître clerc était un énorme casier qui garnissait le mur du haut en bas, et dont chaque compartiment était bourré de liasses d'où pendaient un nombre infini d'étiquettes et de bouts de fil rouge qui donnent une physionomie spéciale aux dossiers de procédure. Les rangs inférieurs du casier étaient pleins de cartons jaunis par l'usage, bordés de papier bleu, et sur lesquels se lisaient les noms des gros clients dont les affaires juteuses se cuisinaient en ce moment. Les sales vitres de la croisée laissaient passer peu de jour. D'ailleurs, au mois de février, il existe à Paris très peu d'études où l'on puisse écrire sans le secours d'une lampe avant dix heures, car elles sont toutes l'objet d'une négligence assez concevable : tout le monde y va, personne n'y reste, aucun intérêt personnel ne s'attache à ce qui est si banal ; ni l'avoué, ni les plaideurs, ni les clercs ne tiennent à l'élégance d'un endroit qui pour les uns est une classe, pour les autres un passage, pour le maître un laboratoire. Le mobilier crasseux se transmet d'avoués en avoués avec un scrupule si religieux que certaines études possèdent encore des boîtes à *résidus*, des moules à *tirets*, des sacs provenant des procureurs au *Chlet*, abréviation du mot CHÂTELET, juridiction qui représentait dans l'ancien ordre de choses le tribunal de

---

1. *Sic*. On attendrait le féminin pluriel.

première instance actuel [1]. Cette étude obscure, grasse de poussière, avait donc, comme toutes les autres, quelque chose de repoussant pour les plaideurs, et qui en faisait une des plus hideuses monstruosités parisiennes. Certes, si les sacristies humides où les prières se pèsent et se payent comme des épices, si les magasins des revendeuses où flottent des guenilles qui flétrissent toutes les illusions de la vie en nous montrant où aboutissent nos fêtes, si ces deux cloaques de la poésie n'existaient pas, une étude d'avoué serait de toutes les boutiques sociales la plus horrible. Mais il en est ainsi de la maison de jeu, du tribunal, du bureau de loterie et du mauvais lieu. Pourquoi ? Peut-être dans ces endroits le drame, en se jouant dans l'âme de l'homme, lui rend-il les accessoires indifférents : ce qui expliquerait aussi la simplicité des grands penseurs et des grands ambitieux.

« Où est mon canif ?

– Je déjeune !

– Va te faire lanlaire [2], voilà un pâté sur la requête !

– Chît ! messieurs. »

Ces diverses exclamations partirent à la fois au moment où le vieux plaideur ferma la porte avec cette sorte d'humilité qui dénature les mouvements de l'homme malheureux. L'inconnu essaya de sourire, mais les muscles de son visage se détendirent quand il eut vainement cherché quelques symptômes d'aménité sur les visages inexorablement insouciants des six clercs. Accoutumé sans doute à juger

---

1. Le château fort du Grand Châtelet fut construit au temps des invasions normandes pour défendre l'accès de Paris par la rive droite. Sous l'Ancien Régime, le lieutenant de police, maître de Paris au nom du roi, y siégeait et son lieutenant criminel y rendait la justice. À la fin du XVIIIe siècle, selon Sébastien Mercier, le peuple craignait bien plus le Châtelet que la Bastille. C'est Napoléon qui, en 1802, fit démolir le Grand Châtelet, vestige huit fois séculaire des temps féodaux, et ouvrit l'actuelle place du Châtelet.

2. *Lanlaire* est un vieux refrain de chanson populaire, et l'expression, populaire et irrévérencieuse, mais pas aussi vulgaire qu'elle peut le paraître aujourd'hui, signifie « envoyer promener un importun ».

les hommes, il s'adressa fort poliment au saute-ruisseau, en espérant que ce pâtiras [1] lui répondrait avec douceur.

« Monsieur, votre patron est-il visible ? »

Le malicieux saute-ruisseau ne répondit au pauvre homme qu'en se donnant avec les doigts de la main gauche de petits coups répétés sur l'oreille, comme pour dire : « Je suis sourd. »

« Que souhaitez-vous, monsieur ? demanda Godeschal qui tout en faisant cette question avalait une bouchée de pain avec laquelle on eût pu charger une pièce de quatre, brandissait son couteau, et se croisait les jambes en mettant à la hauteur de son œil celui de ses pieds qui se trouvait en l'air.

– Je viens ici, monsieur, pour la cinquième fois, répondit le patient. Je souhaite parler à M. Derville.

– Est-ce pour une affaire ?

– Oui, mais je ne puis l'expliquer qu'à monsieur…

– Le patron dort, si vous désirez le consulter sur quelques difficultés, il ne travaille sérieusement qu'à minuit. Mais si vous vouliez nous dire votre cause, nous pourrions, tout aussi bien que lui, vous… »

L'inconnu resta impassible. Il se mit à regarder modestement autour de lui, comme un chien qui, en se glissant dans une cuisine étrangère, craint d'y recevoir des coups. Par une grâce de leur état, les clercs n'ont jamais peur des voleurs, ils ne soupçonnèrent donc point l'homme au carrick et lui laissèrent observer le local, où il cherchait vainement un siège pour se reposer, car il était visiblement fatigué. Par système, les avoués laissent peu de chaises dans leurs études. Le client vulgaire, lassé d'attendre sur ses jambes, s'en va grognant, mais il ne prend pas un temps qui, suivant le mot d'un vieux procureur, n'est pas admis en *taxe*.

---

1. Ou *pâtira*, mot populaire : « homme, enfant ou animal servant de jouet ; souffre-douleur » (*Littré*).

« Monsieur, répondit-il, j'ai déjà eu l'honneur de vous prévenir que je ne pouvais expliquer mon affaire qu'à M. Derville, je vais attendre son lever. »

Boucard avait fini son addition. Il sentit l'odeur de son chocolat, quitta son fauteuil de canne, vint à la cheminée, toisa le vieil homme, regarda le carrick et fit une grimace indescriptible. Il pensa probablement que, de quelque manière que l'on tordît ce client, il serait impossible d'en extraire un centime ; il intervint alors par une parole brève, dans l'intention de débarrasser l'étude d'une mauvaise pratique.

« Ils vous disent la vérité, monsieur. Le patron ne travaille que pendant la nuit. Si votre affaire est grave, je vous conseille de revenir à une heure du matin. »

Le plaideur regarda le Maître clerc d'un air stupide, et demeura pendant un moment immobile. Habitués à tous les changements de physionomie et aux singuliers caprices produits par l'indécision ou par la rêverie qui caractérisent les gens processifs [1], les clercs continuèrent à manger, en faisant autant de bruit avec leurs mâchoires que doivent en faire des chevaux au râtelier, et ne s'inquiétèrent plus du vieillard.

« Monsieur, je viendrai ce soir », dit enfin le vieux qui par une ténacité particulière aux gens malheureux voulait prendre en défaut l'humanité.

La seule épigramme permise à la Misère est d'obliger la Justice et la Bienfaisance à des dénis injustes. Quand les malheureux ont convaincu la Société de mensonge, ils se rejettent plus vivement dans le sein de Dieu.

« Ne voilà-t-il pas un fameux *crâne* ? dit Simonnin sans attendre que le vieillard eût fermé la porte.

— Il a l'air d'un déterré, reprit le dernier clerc.

— C'est quelque colonel qui réclame un arriéré, dit le Maître clerc.

---

1. C'est-à-dire qui aiment « à intenter, à prolonger les procès » (*Littré*).

– Non, c'est un ancien concierge, dit Godeschal.

– Parions qu'il est noble, s'écria Boucard.

– Je parie qu'il a été portier, répliqua Godeschal. Les portiers sont seuls doués par la nature de carricks usés, huileux et déchiquetés par le bas comme l'est celui de ce vieux bonhomme ! Vous n'avez donc vu ni ses bottes éculées qui prennent l'eau, ni sa cravate qui lui sert de chemise ? Il a couché sous les ponts.

– Il pourrait être noble et avoir tiré le cordon, s'écria Desroches. Ça s'est vu !

– Non, reprit Boucard au milieu des rires, je soutiens qu'il a été brasseur en 1789, et colonel sous la République.

– Ah ! je parie un spectacle pour tout le monde qu'il n'a pas été soldat, dit Godeschal.

– Ça va, répliqua Boucard.

– Monsieur ! monsieur ? cria le petit clerc en ouvrant la fenêtre.

– Que fais-tu Simonnin ? demanda Boucard.

– Je l'appelle pour lui demander s'il est colonel ou portier, il doit le savoir, lui. »

Tous les clercs se mirent à rire. Quant au vieillard, il remontait déjà l'escalier.

« Qu'allons-nous lui dire ? s'écria Godeschal.

– Laissez-moi faire ! » répondit Boucard.

Le pauvre homme rentra timidement en baissant les yeux, peut-être pour ne pas révéler sa faim en regardant avec trop d'avidité les comestibles.

« Monsieur, lui dit Boucard, voulez-vous avoir la complaisance de nous donner votre nom, afin que le patron sache si…

– Chabert.

– Est-ce le colonel mort à Eylau [1] ? demanda Huré qui

---

1. La bataille d'Eylau, en Prusse orientale, le 8 février 1807 (voir *infra*, note 1, p. 63, et note 1, p. 85).

n'ayant encore rien dit était jaloux d'ajouter une raillerie à toutes les autres.

– Lui-même, monsieur, répondit le bonhomme avec une simplicité antique. Et il se retira.

– Chouit !

– Dégommé !

– Puff !

– Oh !

– Ah !

– Bâoun !

– Ah ! le vieux drôle !

– Trinn, la, la, trinn, trinn !

– Enfoncé !

– Monsieur Desroches, vous irez au spectacle sans payer », dit Huré au quatrième clerc, en lui donnant sur l'épaule une tape à tuer un rhinocéros.

Ce fut un torrent de cris, de rires et d'exclamations, à la peinture duquel on userait toutes les onomatopées de la langue.

« À quel théâtre irons-nous ?

– À l'Opéra ! s'écria le Principal.

– D'abord, reprit Godeschal, le théâtre n'a pas été désigné. Je puis, si je veux, vous mener chez Mme Saqui [1].

– Mme Saqui n'est pas un spectacle, dit Desroches.

– Qu'est-ce qu'un spectacle ? reprit Godeschal. Établissons d'abord le *point de fait*. Qu'ai-je parié, messieurs ? un spectacle. Qu'est-ce qu'un spectacle ? une chose qu'on voit.

– Mais dans ce système-là, vous vous acquitteriez donc

---

1. Cette danseuse de corde (1786-1866), célèbre dans toute l'Europe, fut sous l'Empire de toutes les fêtes publiques ; de 1816 à 1832, elle exploita, boulevard du Temple, un théâtre de pantomimes et de funambules. Elle travaillait encore sous le second Empire, à plus de soixante-quinze ans !

en nous menant voir l'eau couler sous le Pont-Neuf ? s'écria Simonnin en interrompant.

– Qu'on voit pour de l'argent, disait Godeschal en continuant.

– Mais on voit pour de l'argent bien des choses qui ne sont pas un spectacle. La définition n'est pas exacte, dit Desroches.

– Mais, écoutez-moi donc !

– Vous déraisonnez, mon cher, dit Boucard.

– Curtius [1] est-il un spectacle ? dit Godeschal.

– Non, répondit le Maître clerc, c'est un cabinet de figures.

– Je parie cent francs contre un sou, reprit Godeschal, que le cabinet de Curtius constitue l'ensemble de choses auquel est dévolu le nom de spectacle. Il comporte une chose à voir à différents prix, suivant les différentes places où l'on veut se mettre.

– Et *berlik berlok*, dit Simonnin.

– Prends garde que je ne te gifle, toi ! » dit Godeschal.

Les clercs haussèrent les épaules.

« D'ailleurs, il n'est pas prouvé que ce vieux singe ne se soit pas moqué de nous, dit-il en cessant son argumentation étouffée par le rire des autres clercs. En conscience, le colonel Chabert est bien mort, sa femme est remariée au comte Ferraud, conseiller d'État. Mme Ferraud est une des clientes de l'étude !

– La cause est remise à demain, dit Boucard. À l'ouvrage, messieurs ! Sac-à-papier ! l'on ne fait rien ici. Finissez donc votre requête, elle doit être signifiée avant

---

1. Vers 1770, l'Allemand Curtius avait ouvert deux « cabinets de figures » exposant des personnages de cire : l'un au Palais-Royal, consacré aux grands hommes ; l'autre boulevard du Temple, consacré aux grands criminels. En 1818, date de l'action du roman, seul subsistait celui du Palais-Royal ; l'emplacement du cabinet du boulevard du Temple était occupé depuis 1816 par le théâtre des Funambules, qui devint célèbre vers 1830 avec le mime Deburau.

l'audience de la quatrième Chambre. L'affaire se juge aujourd'hui. Allons, à cheval.

– Si c'eût été le colonel Chabert, est-ce qu'il n'aurait pas chaussé le bout de son pied dans le postérieur de ce farceur de Simonnin quand il a fait le sourd ? dit Desroches en regardant cette observation comme plus concluante que celle de Godeschal.

– Puisque rien n'est décidé, reprit Boucard, convenons d'aller aux secondes loges des Français voir Talma dans Néron. Simonnin ira au parterre [1]. »

Là-dessus, le Maître clerc s'assit à son bureau, et chacun l'imita.

« *Rendue en juin mil huit cent quatorze* (en toutes lettres), dit Godeschal, y êtes-vous ?

– Oui, répondirent les deux copistes et le grossoyeur dont les plumes recommencèrent à crier sur le papier timbré en faisant dans l'étude le bruit de cent hannetons enfermés par des écoliers dans des cornets de papier.

– *Et nous espérons que Messieurs composant le tribunal,* dit l'improvisateur. Halte ! il faut que je relise ma phrase, je ne me comprends plus moi-même.

– Quarante-six... Ça doit arriver souvent !... Et trois, quarante-neuf, dit Boucard.

– *Nous espérons,* reprit Godeschal après avoir tout relu, *que Messieurs composant le tribunal ne seront pas moins grands que ne l'est l'auguste auteur de l'ordonnance, et qu'ils feront justice des misérables prétentions de l'adminis-*

---

1. Selon Pierre Citron, voir le célèbre acteur tragique (1763-1826) jouer Néron (bras nus, au grand scandale des spectateurs du Français !) dans le *Britannicus* de Racine fut un des grands désirs insatisfaits du jeune Balzac ; le faux registre « architriclino-bazochien » de l'étude Desroches, dans *Un début dans la vie*, rapporte que l'avoué Bordin avait déjà promis à ses clercs de les emmener voir ce spectacle, dont Félix de Vandenesse, dans *Le Lys*, se plaint aussi d'avoir été privé par ses parents. Simonnin ira au parterre parce que c'est moins cher : on ne commença à équiper le parterre de banquettes qu'à partir de la fin du XVIIIe siècle, et au début du XIXe on s'y entassait souvent encore pêle-mêle et debout.

*tration de la grande chancellerie de la Légion d'honneur
en fixant la jurisprudence dans le sens large que nous établissons ici...*

– Monsieur Godeschal, voulez-vous un verre d'eau ?
dit le petit clerc.

– Ce farceur de Simonnin ! dit Boucard. Tiens, apprête
tes chevaux à double semelle, prends ce paquet, et valse
jusqu'aux Invalides.

– *Que nous établissons ici*, reprit Godeschal. Ajoutez :
dans l'intérêt de madame... (en toutes lettres) *la vicomtesse de Grandlieu...*

– Comment ! s'écria le Maître clerc, vous vous avisez
de faire des requêtes dans l'affaire vicomtesse de Grandlieu contre Légion d'honneur [1], une affaire pour compte
d'étude, entreprise à forfait ? Ah ! vous êtes un fier
nigaud ! Voulez-vous bien me mettre de côté vos copies
et votre minute, gardez-moi cela pour l'affaire Navarreins
contre les Hospices [2]. Il est tard, je vais faire un bout
de placet [3], avec des *attendu*, et j'irai moi-même au
Palais... »

---

1. C'est dans *Les Dangers de l'inconduite* (futur *Gobseck*), que
Derville assoit sa réputation de légiste en faisant recouvrer à la vicomtesse de Grandlieu diverses propriétés confisquées par la Révolution,
en particulier des immeubles « que l'Empereur avait donnés en dot à
des établissements publics » (édition Philippe Berthier, GF, 1984, p. 75).
On songe en l'occurrence au destin de l'hôtel de Salm, construit en
1782 pour Frédéric III (redgrave de Salm-Kynburg, décapité en 1794),
puis gagné à la loterie en 1795 par un garçon perruquier enrichi qui
acheta aussi le château de Bagatelle, entretint la célèbre actrice
Mlle Lange et donna des fêtes somptueuses – avant d'être condamné
comme faussaire en 1797 ; l'hôtel abrita ensuite l'ambassade de Suède
(l'épouse de l'ambassadeur n'était autre que Mme de Staël, qui reçut là
le célèbre *Cercle constitutionnel*), puis fut affecté en 1804 par Napoléon
à la Grande Chancellerie de la Légion d'honneur – qu'il abrite toujours ! (Voir aussi *infra*, note 1, p. 89.)
2. Le décret du 15 brumaire an IX avait spécifiquement attribué aux
Hospices quatre millions en biens nationaux. Les Navarreins comme les
Grandlieu sont parmi les plus hautes familles de *La Comédie humaine*.
3. Ici « demande adressée au tribunal pour obtenir audience »
(*Littré*).

Cette scène représente un des mille plaisirs qui, plus tard, font dire en pensant à la jeunesse [1] : « C'était le bon temps ! »

Vers une heure du matin [2], le prétendu colonel Chabert vint frapper à la porte de Me Derville, avoué près le tribunal de première instance du département de la Seine. Le portier lui répondit que M. Derville n'était pas rentré. Le vieillard allégua le rendez-vous et monta chez ce célèbre légiste, qui, malgré sa jeunesse, passait pour être une des plus fortes têtes du Palais. Après avoir sonné, le défiant solliciteur ne fut pas médiocrement étonné de voir le premier clerc occupé à ranger sur la table de la salle à manger de son patron les nombreux dossiers des affaires qui *venaient* le lendemain en ordre utile. Le clerc, non moins étonné, salua le colonel en le priant de s'asseoir : ce que fit le plaideur.

« Ma foi, monsieur, j'ai cru que vous plaisantiez hier en m'indiquant une heure si matinale pour une consultation, dit le vieillard avec la fausse gaieté d'un homme ruiné qui s'efforce de sourire.

— Les clercs plaisantaient et disaient vrai tout ensemble, reprit le Principal en continuant son travail. M. Derville a choisi cette heure pour examiner ses causes, en résumer les moyens, en ordonner la conduite, en disposer les *défenses*. Sa prodigieuse intelligence est plus libre en ce moment, le seul où il obtienne le silence et la tranquillité nécessaires à la conception des bonnes idées [3]. Vous êtes, depuis qu'il est avoué, le troisième

---

1. Et Balzac pense évidemment à sa propre jeunesse, à ses années de basoche chez l'avoué Guillonnet-Merville (novembre 1816-mars 1818) puis chez le notaire Victor Passez (avril 1818-été 1819), pendant lesquelles il prépara, comme Oscar Husson dans *Un début dans la vie*, son baccalauréat en droit (obtenu en janvier 1819) – et au terme desquelles il refusa catégoriquement de devenir notaire.

2. A. : « II. La Résurrection. »

3. L'on sait combien Balzac lui-même travailla la nuit, hérissé par le café.

exemple d'une consultation donnée à cette heure nocturne. Après être rentré, le patron discutera chaque
affaire, lira tout, passera peut-être quatre ou cinq heures
à sa besogne ; puis, il me sonnera et m'expliquera ses
intentions. Le matin, de dix heures à deux heures, il
écoute ses clients, puis il emploie le reste de la journée à
ses rendez-vous. Le soir, il va dans le monde pour y entretenir ses relations. Il n'a donc que la nuit pour creuser
ses procès, fouiller les arsenaux du Code et faire ses plans
de bataille. Il ne veut pas perdre une seule cause, il a
l'amour de son art. Il ne se charge pas, comme ses
confrères, de toute espèce d'affaire. Voilà sa vie, qui
est singulièrement active. Aussi gagne-t-il beaucoup
d'argent. »

En entendant cette explication, le vieillard resta silencieux, et sa bizarre figure prit une expression si dépour-
vue d'intelligence, que le clerc, après l'avoir regardé, ne
s'occupa plus de lui. Quelques instants après, Derville
rentra, mis en costume de bal ; son Maître clerc lui ouvrit
la porte, et se remit à achever le classement des dossiers.
Le jeune avoué demeura pendant un moment stupéfait
en entrevoyant dans le clair-obscur le singulier client qui
l'attendait. Le colonel Chabert était aussi parfaitement
immobile que peut l'être une figure en cire de ce cabinet
de Curtius où Godeschal avait voulu mener ses camarades. Cette immobilité n'aurait peut-être pas été un sujet
d'étonnement, si elle n'eût complété le spectacle surnaturel que présentait l'ensemble du personnage. Le vieux
soldat était sec et maigre. Son front, volontairement
caché sous les cheveux de sa perruque lisse, lui donnait
quelque chose de mystérieux. Ses yeux paraissaient couverts d'une taie transparente : vous eussiez dit de la nacre
sale dont les reflets bleuâtres chatoyaient à la lueur des
bougies. Le visage pâle, livide, et en lame de couteau, s'il
est permis d'emprunter cette expression vulgaire, semblait mort. Le cou était serré par une mauvaise cravate
de soie noire. L'ombre cachait si bien le corps à partir

de la ligne brune que décrivait ce haillon, qu'un homme d'imagination aurait pu prendre cette vieille tête pour quelque silhouette due au hasard, ou pour un portrait de Rembrandt, sans cadre. Les bords du chapeau qui couvrait le front du vieillard projetaient un sillon noir sur le haut du visage. Cet effet bizarre, quoique naturel, faisait ressortir, par la brusquerie du contraste, les rides blanches, les sinuosités froides, le sentiment décoloré de cette physionomie cadavéreuse. Enfin l'absence de tout mouvement dans le corps, de toute chaleur dans le regard, s'accordait avec une certaine expression de démence triste, avec les dégradants symptômes par lesquels se caractérise l'idiotisme, pour faire de cette figure je ne sais quoi de funeste qu'aucune parole humaine ne pourrait exprimer [1]. Mais un observateur, et surtout un avoué, aurait trouvé de plus en cet homme foudroyé les signes d'une douleur profonde, les indices d'une misère qui avait dégradé ce visage, comme les gouttes d'eau tombées du ciel sur un beau marbre l'ont à la longue défiguré. Un médecin, un auteur, un magistrat eussent pressenti tout un drame à l'aspect de cette sublime horreur dont le moindre mérite était de ressembler à ces fantaisies que les peintres s'amusent à dessiner au bas de leurs pierres lithographiques en causant avec leurs amis.

En voyant l'avoué, l'inconnu tressaillit par un mouvement convulsif semblable à celui qui échappe aux poètes quand un bruit inattendu vient les détourner d'une féconde rêverie, au milieu du silence et de la nuit. Le vieillard se découvrit promptement et se leva pour saluer le jeune homme ; le cuir qui garnissait l'intérieur de son

---

1. Balzac avait d'abord écrit : « symptômes qui caractérisent l'idiot, répandus sur cette figure, pour en faire je ne sais quoi de funeste qui ne saurait trouver de nom dans les langages humains » – souvenir, note Pierre Citron, d'une expression de Bossuet dans son fameux *Sermon sur la mort*. Bossuet y évoque « un je ne sais quoi qui n'a de nom dans aucune langue », ce qui pourrait être une cruelle définition de Chabert lui-même.

chapeau étant sans doute fort gras, sa perruque y resta collée sans qu'il s'en aperçût, et laissa voir à nu son crâne horriblement mutilé par une cicatrice transversale qui prenait à l'occiput et venait mourir à l'œil droit, en formant partout une grosse couture saillante. L'enlèvement soudain de cette perruque sale, que le pauvre homme portait pour cacher sa blessure, ne donna nulle envie de rire aux deux gens de loi, tant ce crâne fendu était épouvantable à voir [1]. La première pensée que suggérait l'aspect de cette blessure était celle-ci : « Par là s'est enfuie l'intelligence ! »

« Si ce n'est pas le colonel Chabert, ce doit être un fier troupier ! pensa Boucard.

– Monsieur, lui dit Derville, à qui ai-je l'honneur de parler ?

– Au colonel Chabert.

– Lequel [2] ?

– Celui qui est mort à Eylau », répondit le vieillard.

En entendant cette singulière phrase, le clerc et l'avoué se jetèrent un regard qui signifiait : « C'est un fou ! »

« Monsieur, reprit le colonel, je désirerais ne confier qu'à vous le secret de ma situation. »

Une chose digne de remarque est l'intrépidité naturelle aux avoués. Soit l'habitude de recevoir un grand nombre de personnes, soit le profond sentiment de la protection que les lois leur accordent, soit confiance en leur ministère, ils

---

1. Balzac ménagera un effet analogue dans la IIIe partie de *Splendeurs et misères des courtisanes* : le juge Camusot, cherchant à établir l'identité de l'abbé Carlos Herrera *alias* Vautrin *alias* Jacques Collin, demande qu'on lui ôte sa perruque : « Le vieux forçat [...] frémit de peur, car il savait quelle ignoble expression prenait alors sa physionomie./ [...] sa tête dépouillée de cet ornement fut épouvantable à voir [...]. Ce spectacle plongea Camusot dans une grande incertitude. »
2. La question est légitime : Pierre Citron a recensé dans les registres de l'armée *quarante-cinq* Chabert ayant fait valoir leurs droits à pension entre 1801 et 1830 ! et parmi eux, au moins deux colonels de cavalerie (dont l'un fut gravement blessé, accusé de bigamie et mourut au Val de Grâce) dont Balzac aurait pu connaître l'existence.

entrent partout sans rien craindre, comme les prêtres et les médecins. Derville fit un signe à Boucard, qui disparut.

« Monsieur, reprit l'avoué, pendant le jour je ne suis pas trop avare de mon temps ; mais au milieu de la nuit les minutes me sont précieuses. Ainsi, soyez bref et concis. Allez au fait sans digression. Je vous demanderai moi-même les éclaircissements qui me sembleront nécessaires. Parlez. »

Après avoir fait asseoir son singulier client, le jeune homme s'assit lui-même devant la table ; mais, tout en prêtant son attention au discours du feu colonel, il feuilleta ses dossiers.

« Monsieur, dit le défunt, peut-être savez-vous que je commandais un régiment de cavalerie à Eylau. J'ai été pour beaucoup dans le succès de la célèbre charge que fit Murat[1], et qui décida le gain de la bataille. Malheureusement pour moi, ma mort est un fait historique consigné dans les *Victoires et Conquêtes*[2], où elle est

---

1. La bataille d'Eylau, que le général Gilbert de Pommereul avait peut-être racontée à Balzac, se déroula sur une grande plaine glacée, au milieu d'une aveuglante tempête de neige. Les cinquante mille hommes et les trois cents canons de Napoléon furent surpris en état d'infériorité par les soixante-dix mille Russes de Bennigsen. La bataille commença par un duel d'artillerie qui décima les deux camps. Vers midi, tandis que Davout à l'extrême droite commençait à prendre l'ennemi à revers, Napoléon lança Augereau au centre ; mais la cavalerie russe sabra et anéantit le corps d'Augereau, lui-même gravement blessé. Alors Napoléon lança, en une colossale charge de cavalerie, les quatre-vingts escadrons de Murat, gardés en réserve, qui trouèrent les lignes ennemies. La manœuvre, heureusement appuyée par Lepic dont les grenadiers détruisirent la ligne russe reformée derrière Murat, fut décisive. Ce ne fut cependant que l'arrivée de Ney, à la tombée de la nuit, qui acheva de décourager Bennigsen. Cette bataille qui, selon l'épigramme de Talleyrand, ne fut qu'« un peu gagnée », fut le premier carnage que connut la Grande Armée : le nombre des morts, 25 000 Russes et peut-être 18 000 Français (selon le *Napoléon* de Jean Tulard, Fayard, 1987), frappa l'opinion et abattit l'Empereur lui-même, qui suspendit les opérations jusqu'à la fin de l'hiver.

2. Abréviation significative sous laquelle on désignait généralement *Victoires, conquêtes, revers et guerres civiles des Français de 1792 à 1815*, vaste compilation en 29 volumes qui parut de 1817 à 1823 chez

rapportée en détail. Nous fendîmes en deux les trois lignes russes, qui, s'étant aussitôt reformées, nous obligèrent à les retraverser en sens contraire. Au moment où nous revenions vers l'Empereur, après avoir dispersé les Russes, je rencontrai un gros de cavalerie ennemie. Je me précipitai sur ces entêtés-là. Deux officiers russes, deux vrais géants, m'attaquèrent à la fois. L'un d'eux m'appliqua sur la tête un coup de sabre qui fendit tout jusqu'à un bonnet de soie noire que j'avais sur la tête, et m'ouvrit profondément le crâne. Je tombai de cheval. Murat vint à mon secours, il me passa sur le corps, lui et tout son monde, quinze cents hommes, excusez du peu ! Ma mort fut annoncée à l'Empereur, qui, par prudence (il m'aimait un peu, le patron !), voulut savoir s'il n'y aurait pas quelque chance de sauver l'homme auquel il était redevable de cette vigoureuse attaque. Il envoya, pour me reconnaître et me rapporter aux ambulances [1], deux chirurgiens en leur disant, peut-être trop négligemment, car il avait de l'ouvrage : "Allez donc voir si, par hasard, mon pauvre Chabert vit encore ?" Ces sacrés carabins, qui venaient de me voir foulé aux pieds par les chevaux de deux régiments, se dispensèrent sans doute de me tâter le pouls et dirent que j'étais bien mort. L'acte de mon décès fut donc probablement dressé d'après les règles établies par la jurisprudence militaire. »

En entendant son client s'exprimer avec une lucidité

Panckoucke, et fut souvent rééditée. L'ouvrage, écrit André Billy, « caressait la vanité ulcérée » des anciens soldats de Napoléon – l'éditeur offrit d'ailleurs symptomatiquement une médaille à ses souscripteurs. Le pouvoir royal avait compris qu'il ne pourrait se rallier les masses sans rendre hommage à l'Empereur et à ses soldats ; Charles X lui-même souscrivit et, selon André Billy, paya son exemplaire sur vélin cinquante mille francs, montrant ainsi l'exemple aux grandes administrations qui lui emboîtèrent le pas.

1. Le mot désigne ici l'ensemble des services médicaux militaires qui suivaient les campagnes et se chargeaient des blessés, et non pas seulement les véhicules de transport.

parfaite et raconter des faits si vraisemblables, quoique étranges, le jeune avoué laissa ses dossiers, posa son coude gauche sur la table, se mit la tête dans la main, et regarda le colonel fixement.

« Savez-vous, monsieur, lui dit-il en l'interrompant, que je suis l'avoué de la comtesse Ferraud, veuve du colonel Chabert ?

— Ma femme ! Oui, monsieur. Aussi, après cent démarches infructueuses chez des gens de loi qui m'ont tous pris pour un fou, me suis-je déterminé à venir vous trouver. Je vous parlerai de mes malheurs plus tard. Laissez-moi d'abord vous établir les faits, vous expliquer plutôt comme ils ont dû se passer, que comme ils sont arrivés. Certaines circonstances, qui ne doivent être connues que du Père éternel, m'obligent à en présenter plusieurs comme des hypothèses. Donc, monsieur, les blessures que j'ai reçues auront probablement produit un tétanos, ou m'auront mis dans une crise analogue à une maladie nommée, je crois, catalepsie. Autrement comment concevoir que j'aie été, suivant l'usage de la guerre, dépouillé de mes vêtements, et jeté dans la fosse aux soldats par les gens chargés d'enterrer les morts ? Ici, permettez-moi de placer un détail que je n'ai pu connaître que postérieurement à l'événement qu'il faut bien appeler ma mort. J'ai rencontré, en 1814, à Stuttgart un ancien maréchal des logis de mon régiment. Ce cher homme, le seul qui ait voulu me reconnaître, et de qui je vous parlerai tout à l'heure, m'expliqua le phénomène de ma conservation, en me disant que mon cheval avait reçu un boulet dans le flanc au moment où je fus blessé moi-même. La bête et le cavalier s'étaient donc abattus comme des capucins de cartes [1]. En me renversant, soit

---

1. « Cartes que les enfants plient longitudinalement pour les faire tenir droites, et auxquelles ils font une entaille en angle aigu qu'ils retournent en les relevant pour leur donner l'air de capuces [*capuchons des moines*] ; ces *capucins* rangés à la file et assez près tombent les uns sur les autres quand on fait tomber le premier. » (*Littré*.)

à droite, soit à gauche, j'avais été sans doute couvert par le corps de mon cheval qui m'empêcha d'être écrasé par les chevaux, ou atteint par des boulets. Lorsque je revins à moi, monsieur, j'étais dans une position et dans une atmosphère dont je ne vous donnerais pas une idée en vous entretenant jusqu'à demain. Le peu d'air que je respirais était méphitique. Je voulus me mouvoir, et ne trouvai point d'espace. En ouvrant les yeux, je ne vis rien. La rareté de l'air fut l'accident le plus menaçant, et qui m'éclaira le plus vivement sur ma position. Je compris que là où j'étais, l'air ne se renouvelait point, et que j'allais mourir. Cette pensée m'ôta le sentiment de la douleur inexprimable par laquelle j'avais été réveillé. Mes oreilles tintèrent violemment. J'entendis, ou crus entendre, je ne veux rien affirmer, des gémissements poussés par le monde de cadavres au milieu duquel je gisais. Quoique la mémoire de ces moments soit bien ténébreuse, quoique mes souvenirs soient bien confus, malgré les impressions de souffrances encore plus profondes que je devais éprouver et qui ont brouillé mes idées, il y a des nuits où je crois encore entendre ces soupirs étouffés ! Mais il y a eu quelque chose de plus horrible que les cris, un silence que je n'ai jamais retrouvé nulle part, le vrai silence du tombeau. Enfin, en levant les mains, en tâtant les morts, je reconnus un vide entre ma tête et le fumier humain supérieur. Je pus donc mesurer l'espace qui m'avait été laissé par un hasard dont la cause m'était inconnue. Il paraît, grâce à l'insouciance ou à la précipitation avec laquelle on nous avait jetés pêle-mêle, que deux morts s'étaient croisés au-dessus de moi de manière à décrire un angle semblable à celui de deux cartes mises l'une contre l'autre par un enfant qui pose les fondements d'un château. En furetant avec promptitude, car il ne fallait pas flâner, je rencontrai fort heureusement un bras qui ne tenait à rien, le bras d'un Hercule ! Un bon os auquel je dus mon salut. Sans ce secours inespéré, je périssais ! Mais, avec une rage que vous devez concevoir, je me mis à travailler les cadavres qui me séparaient de la couche de terre sans doute jetée sur nous, je dis nous, comme s'il y eût eu des vivants ! J'y allais ferme, monsieur, car me voici ! Mais je ne sais pas aujourd'hui comment j'ai pu parvenir à percer la couverture de chair qui mettait une barrière entre la vie et moi. Vous me direz que j'avais trois bras ! Ce levier, dont je me servais avec habileté, me procurait toujours un peu de l'air qui se trouvait entre les cadavres que je déplaçais, et je ménageais mes aspirations. Enfin je vis le jour, mais à travers la neige, monsieur ! En ce moment, je m'aperçus que j'avais la tête ouverte. Par bonheur, mon sang, celui de mes camarades ou la peau meurtrie de mon cheval peut-être, que sais-je ! m'avait, en se coagulant, comme enduit d'un emplâtre naturel. Malgré cette croûte, je m'évanouis quand mon crâne fut en contact avec la neige. Cependant, le peu de chaleur qui me restait ayant fait fondre la neige autour de moi, je me trouvai, quand je repris connaissance, au centre d'une petite ouverture par laquelle je criai aussi longtemps que je le pus. Mais alors le soleil se levait, j'avais donc bien peu de chances pour être entendu. Y avait-il déjà du monde aux champs ? Je me haussais en faisant de mes pieds un ressort dont le point d'appui était sur les défunts qui avaient les reins solides. Vous sentez que ce n'était pas le moment de leur dire : *Respect au courage malheureux !* Bref, monsieur, après avoir eu la douleur, si le mot peut rendre ma rage, de voir pendant longtemps, oh ! oui, longtemps ! ces sacrés Allemands se sauvent en entendant une voix là où ils n'apercevaient point d'homme, je fus enfin dégagé par une femme assez hardie ou assez curieuse pour s'approcher de ma tête qui semblait avoir poussé hors de terre comme un champignon. Cette femme alla chercher son mari, et tous deux me transportèrent dans leur pauvre baraque. Il paraît que j'eus une rechute de catalepsie, passez-moi cette expression pour vous peindre un état duquel je n'ai nulle idée, mais que j'ai jugé, sur les dires de mes hôtes, devoir être un effet de cette maladie. Je suis resté pendant six mois entre la vie et la mort, ne parlant pas, ou déraisonnant quand je parlais. Enfin mes hôtes me firent admettre à l'hôpital d'Heilsberg [1]. Vous comprenez, monsieur, que j'étais sorti du ventre de la fosse aussi nu que de celui de ma mère ; en sorte que, six mois après, quand, un beau matin, je me souvins d'avoir été le colonel Chabert, et qu'en recouvrant ma raison je voulus obtenir de ma garde plus de respect qu'elle n'en accordait à un pauvre diable, tous mes camarades de chambrée se mirent à rire. Heureusement pour moi, le chirurgien avait répondu, par amour-propre, de ma guérison, et s'était naturellement intéressé à son malade. Lorsque je lui parlai d'une manière suivie de mon ancienne existence, ce brave homme, nommé Sparchmann [2], fit constater, dans les formes juridiques

---

1. Ville de Prusse orientale, à 30 km d'Eylau ; d'après la chronologie du récit de Chabert, nous sommes environ au début d'août 1807 ; or, avec le printemps, les opérations avaient repris, et, le 11 juin 1807, les Français avaient, à Heilsberg, infligé à Bennigsen une sanglante défaite qui l'obligea à se replier vers le nord pour couvrir Königsberg ; cette dernière forteresse prussienne, où se trouvaient les principaux magasins d'armes russes, fut prise à l'issue de la bataille de Friedland, le 14 juin, et le 25, Napoléon signait avec Alexandre la paix de Tilsit. Le « réveil » de Chabert coïncide donc avec le véritable apogée de Napoléon, et le début d'une courte période d'équilibre territorial, politique et social dont la France gardera une nostalgie qui fut, autant que les victoires militaires, à l'origine du succès de la légende impériale. D'autre part, comme le suggère Rose Fortassier, Mme d'Abrantès a pu raconter à Balzac l'histoire du fils d'un de ses concierges, qui fut, précisément à Heilsberg, enterré vivant sous un tas de cadavres puis tenu pour mort ; elle consigna en tout cas l'épisode dans ses *Mémoires*, que Balzac l'aida à rédiger.

2. Balzac, tous les commentateurs l'ont remarqué, donne à ce personnage un nom très proche de celui de son relieur, Jacques Frédéric Spachmann (1807-1850), qui fut aussi associé à Werdet pour l'édition de plusieurs romans de Balzac, dont *Le Père Goriot* ; l'écrivain avait beaucoup d'amitié pour ce pauvre relieur wurtembourgeois et, avec l'aide de sa sœur Laure, arrangea même son mariage avec une jeune et jolie blanchisseuse raisonnablement dotée.

voulues par le droit du pays, la manière miraculeuse dont j'étais sorti de la fosse des morts, le jour et l'heure où j'avais été trouvé par ma bienfaitrice et par son mari ; le genre, la position exacte de mes blessures, en joignant à ces différents procès-verbaux une description de ma personne. Eh bien, monsieur, je n'ai ni ces pièces importantes, ni la déclaration que j'ai faite chez un notaire d'Heilsberg, en vue d'établir mon identité ! Depuis le jour où je fus chassé de cette ville par les événements de la guerre, j'ai constamment erré comme un vagabond, mendiant mon pain, traité de fou lorsque je racontais mon aventure, et sans avoir ni trouvé, ni gagné un sou pour me procurer les actes qui pouvaient prouver mes dires, et me rendre à la vie sociale. Souvent, mes douleurs me retenaient durant des semestres entiers dans de petites villes où l'on prodiguait des soins au Français malade, mais où l'on riait au nez de cet homme dès qu'il prétendait être le colonel Chabert. Pendant longtemps ces rires, ces doutes me mettaient dans une fureur qui me nuisit et me fit même enfermer comme fou à Stuttgart. À la vérité, vous pouvez juger, d'après mon récit, qu'il y avait des raisons suffisantes pour faire coffrer un homme ! Après deux ans de détention que je fus obligé de subir, après avoir entendu mille fois mes gardiens disant : "Voilà un pauvre homme qui croit être le colonel Chabert !" à des gens qui répondaient : "Le pauvre homme !" je fus convaincu de l'impossibilité de ma propre aventure, je devins triste, résigné, tranquille, et renonçai à me dire le colonel Chabert, afin de pouvoir sortir de prison et revoir la France. Oh ! monsieur, revoir Paris ! c'était un délire que je ne... »

À cette phrase inachevée, le colonel Chabert tomba dans une rêverie profonde que Derville respecta.

« Monsieur, un beau jour, reprit le client, un jour de printemps, on me donna la clef des champs et dix thalers [1], sous prétexte que je parlais très sensément sur toutes sortes de sujets et que je ne me disais plus le colonel Chabert. Ma foi, vers cette époque, et encore aujourd'hui, par moments, mon nom m'est désagréable. Je voudrais n'être pas moi. Le sentiment de mes droits me tue. Si ma maladie m'avait ôté tout souvenir de mon existence passée, j'aurais été heureux ! J'eusse repris du service sous un nom quelconque, et qui sait ? je serais peut-être devenu feld-maréchal en Autriche ou en Russie.

— Monsieur, dit l'avoué, vous brouillez toutes mes idées. Je crois rêver en vous écoutant. De grâce, arrêtons-nous pendant un moment.

— Vous êtes, dit le colonel d'un air mélancolique, la seule personne qui m'ait si patiemment écouté. Aucun homme de loi n'a voulu m'avancer dix napoléons afin de faire venir d'Allemagne les pièces nécessaires pour commencer mon procès…

— Quel procès ? dit l'avoué, qui oubliait la situation douloureuse de son client en entendant le récit de ses misères passées.

— Mais, monsieur, la comtesse Ferraud n'est-elle pas ma femme ! Elle possède trente mille livres de rente qui m'appartiennent, et ne veut pas me donner deux liards. Quand je dis ces choses à des avoués, à des hommes de bon sens ; quand je propose, moi, mendiant, de plaider contre un comte et une comtesse ; quand je m'élève, moi, mort, contre un acte de décès, un acte de mariage et des actes de naissance, ils m'éconduisent, suivant leur caractère, soit avec cet air froidement poli que vous savez prendre pour vous débarrasser d'un malheureux, soit brutalement, en gens qui croient rencontrer un intrigant ou un fou. J'ai été enterré sous des morts, mais maintenant je suis enterré sous des vivants, sous des actes, sous des faits, sous la société tout entière, qui veut me faire rentrer sous terre !

---

1. Petites pièces d'argent allemandes.

– Monsieur, veuillez poursuivre maintenant, dit l'avoué.

– *Veuillez*, s'écria le malheureux vieillard en prenant la main du jeune homme, voilà le premier mot de politesse que j'entends depuis... »

Le colonel pleura. La reconnaissance étouffa sa voix. Cette pénétrante et indicible éloquence qui est dans le regard, dans le geste, dans le silence même, acheva de convaincre Derville et le toucha vivement.

« Écoutez, monsieur, dit-il à son client, j'ai gagné ce soir trois cents francs au jeu ; je puis bien employer la moitié de cette somme à faire le bonheur d'un homme. Je commencerai les poursuites et diligences nécessaires pour vous procurer les pièces dont vous me parlez, et jusqu'à leur arrivée je vous remettrai cent sous par jour. Si vous êtes le colonel Chabert, vous saurez pardonner la modicité du prêt à un jeune homme qui a sa fortune à faire. Poursuivez. »

Le prétendu colonel resta pendant un moment immobile et stupéfait : son extrême malheur avait sans doute détruit ses croyances. S'il courait après son illustration militaire, après sa fortune, après lui-même, peut-être était-ce pour obéir à ce sentiment inexplicable, en germe dans le cœur de tous les hommes, et auquel nous devons les recherches des alchimistes, la passion de la gloire, les découvertes de l'astronomie, de la physique, tout ce qui pousse l'homme à se grandir en se multipliant par les faits ou par les idées. L'*ego*, dans sa pensée, n'était plus qu'un objet secondaire, de même que la vanité du triomphe ou le plaisir du gain deviennent plus chers au parieur que ne l'est l'objet du pari. Les paroles du jeune avoué furent donc comme un miracle pour cet homme rebuté pendant dix années par sa femme, par la justice, par la création sociale entière. Trouver chez un avoué ces dix pièces d'or qui lui avaient été refusées pendant si longtemps, par tant de personnes et de tant de manières ! Le colonel ressemblait à cette dame qui, ayant eu la fièvre durant quinze années, crut avoir changé de maladie le jour où elle fut guérie. Il est des félicités auxquelles on ne croit plus ; elles arrivent, c'est la foudre, elles consument. Aussi la reconnaissance du pauvre homme était-elle trop vive pour qu'il pût l'exprimer. Il eût paru froid aux gens superficiels, mais Derville devina toute une probité dans cette stupeur. Un fripon aurait eu de la voix.

« Où en étais-je ? dit le colonel avec la naïveté d'un enfant ou d'un soldat, car il y a souvent de l'enfant dans le vrai soldat, et presque toujours du soldat chez l'enfant, surtout en France.

– À Stuttgart. Vous sortiez de prison, répondit l'avoué.

– Vous connaissez ma femme ? demanda le colonel.

– Oui, répliqua Derville en inclinant la tête.

– Comment est-elle ?

– Toujours ravissante. »

Le vieillard fit un signe de main, et parut dévorer quelque secrète douleur avec cette résignation grave et solennelle qui caractérise les hommes éprouvés dans le sang et le feu des champs de bataille.

« Monsieur », dit-il avec une sorte de gaieté ; car il respirait, ce pauvre colonel, il sortait une seconde fois de la tombe, il venait de fondre une couche de neige moins soluble que celle qui jadis lui avait glacé la tête, et il aspirait l'air comme s'il quittait un cachot. « Monsieur, dit-il, si j'avais été joli garçon, aucun de mes malheurs ne me serait arrivé. Les femmes croient les gens quand ils farcissent leurs phrases du mot amour. Alors elles trottent, elles vont, elles se mettent en quatre, elles intriguent, elles affirment les faits, elles font le diable pour celui qui leur plaît. Comment aurais-je pu intéresser une femme ? J'avais une face de *requiem*, j'étais vêtu comme un sans-culotte, je ressemblais plutôt à un Esquimau qu'à un Français, moi qui jadis passais pour le plus joli des

muscadins [1], en 1799 ! Moi, Chabert, comte de l'Empire [2] !
Enfin, le jour même où l'on me jeta sur le pavé comme
un chien, je rencontrai le maréchal des logis de qui je
vous ai déjà parlé. Le camarade se nommait Boutin. Le
pauvre diable et moi faisions la plus belle paire de rosses
que j'aie jamais vue ; je l'aperçus à la promenade, si je le
reconnus, il lui fut impossible de deviner qui j'étais. Nous
allâmes ensemble dans un cabaret. Là, quand je me nom-
mai, la bouche de Boutin se fendit en éclats de rire
comme un mortier qui crève. Cette gaieté, monsieur, me
causa l'un de mes plus vifs chagrins ! Elle me révélait
sans fard tous les changements qui étaient survenus en
moi ! J'étais donc méconnaissable, même pour l'œil du
plus humble et du plus reconnaissant de mes amis ! jadis
j'avais sauvé la vie à Boutin, mais c'était une revanche
que je lui devais. Je ne vous dirai pas comment il me
rendit ce service. La scène eut lieu en Italie, à Ravenne [3].
La maison où Boutin m'empêcha d'être poignardé n'était
pas une maison fort décente [4]. À cette époque je n'étais
pas colonel, j'étais simple cavalier, comme Boutin. Heureusement cette histoire comportait des détails qui ne
pouvaient être connus que de nous seuls ; et, quand je les
lui rappelai, son incrédulité diminua. Puis je lui contai
les accidents de ma bizarre existence. Quoique mes yeux,
ma voix fussent, me dit-il, singulièrement altérés, que je

---

1. Ce mot a pour origine les petites pastilles parfumées au musc
qu'affectionnaient les dandies ; il désignait sous le Directoire des jeunes
gens d'une élégance recherchée.
2. Inadvertance de Balzac : Chabert est « mort » à Eylau en
février 1807 – et ce n'est que le 1er mars 1808 que Napoléon « créa » la
noblesse d'Empire en rétablissant par décret les anciennes dénomina-
tions nobiliaires.
3. Prise par l'armée d'Italie, Ravenne fut occupée par la France de
1797 à 1815. Inspiré par une anecdote que lui avait racontée le général
de Pommereul, Balzac avait consigné dans son album le projet d'une
nouvelle intitulée *L'Incendie de Ravenne*, qui aurait raconté l'assassinat
d'un soldat français dans les faubourgs de la ville occupée.
4. C'est-à-dire une maison de prostitution.

n'eusse plus ni cheveux, ni dents, ni sourcils, que je fusse blanc comme un Albinos, il finit par retrouver son colonel dans le mendiant, après mille interrogations auxquelles je répondis victorieusement. Il me raconta ses aventures, elles n'étaient pas moins extraordinaires que les miennes : il revenait des confins de la Chine, où il avait voulu pénétrer après s'être échappé de la Sibérie. Il m'apprit les désastres de la campagne de Russie et la première abdication de Napoléon. Cette nouvelle est une des choses qui m'ont fait le plus de mal ! Nous étions deux débris curieux après avoir ainsi roulé sur le globe comme roulent dans l'Océan les cailloux emportés d'un rivage à l'autre par les tempêtes. À nous deux nous avions vu l'Égypte, la Syrie, l'Espagne, la Russie, la Hollande, l'Allemagne, l'Italie, la Dalmatie, l'Angleterre, la Chine, la Tartarie, la Sibérie ; il ne nous manquait que d'être allés dans les Indes et en Amérique ! Enfin, plus ingambe que je ne l'étais, Boutin se chargea d'aller à Paris le plus lestement possible afin d'instruire ma femme de l'état dans lequel je me trouvais. J'écrivis à Mme Chabert une lettre bien détaillée. C'était la quatrième, monsieur ! si j'avais eu des parents, tout cela ne serait peut-être pas arrivé ; mais, il faut vous l'avouer, je suis un enfant d'hôpital [1], un soldat qui pour patrimoine avait son courage, pour famille tout le monde, pour patrie la France, pour tout protecteur le bon Dieu. Je me trompe ! j'avais un père, l'Empereur ! Ah ! s'il était debout, le cher homme ! et qu'il vît *son Chabert*, comme il me nommait, dans l'état où je suis, mais il se mettrait en colère. Que voulez-vous ! notre soleil s'est couché, nous avons tous froid maintenant [2]. Après tout, les événements politiques pouvaient justifier le silence de ma femme ! Boutin partit. Il était bien heureux, lui ! Il avait deux ours blancs

---

1. C'est-à-dire un enfant trouvé.
2. C'est-à-dire (nous sommes en 1818) depuis la fin de l'Empire et l'exil à Sainte-Hélène ; l'Empereur ne mourra qu'en 1821.

supérieurement dressés qui le faisaient vivre. Je ne pouvais l'accompagner ; mes douleurs ne me permettaient pas de faire de longues étapes. Je pleurai, monsieur, quand nous nous séparâmes, après avoir marché aussi longtemps que mon état put me le permettre en compagnie de ses ours et de lui. À Carlsruhe j'eus un accès de névralgie à la tête, et restai six semaines sur la paille dans une auberge ! Je ne finirais pas, monsieur, s'il fallait vous raconter tous les malheurs de ma vie de mendiant. Les souffrances morales, auprès desquelles pâlissent les douleurs physiques, excitent cependant moins de pitié, parce qu'on ne les voit point. Je me souviens d'avoir pleuré devant un hôtel de Strasbourg où j'avais donné jadis une fête, et où je n'obtins rien, pas même un morceau de pain. Ayant déterminé de concert avec Boutin l'itinéraire que je devais suivre, j'allais à chaque bureau de poste demander s'il y avait une lettre et de l'argent pour moi. Je vins jusqu'à Paris sans avoir rien trouvé. Combien de désespoirs ne m'a-t-il pas fallu dévorer ! "Boutin sera mort", me disais-je. En effet, le pauvre diable avait succombé à Waterloo. J'appris sa mort plus tard et par hasard. Sa mission auprès de ma femme fut sans doute infructueuse. Enfin j'entrai dans Paris en même temps que les Cosaques [1]. Pour moi c'était douleur sur douleur. En voyant les Russes en France, je ne pensais plus que je n'avais ni souliers aux pieds ni argent dans ma poche. Oui, monsieur, mes vêtements étaient en lambeaux. La veille de mon arrivée je fus forcé de bivouaquer dans les bois de Claye [2]. La fraîcheur de la nuit me causa sans doute un accès de je ne sais quelle maladie, qui me prit quand je traversai le faubourg Saint-Martin. Je tombai presque évanoui à la porte d'un marchand de fer. Quand je me réveillai j'étais dans un lit à l'Hôtel-Dieu. Là je

---

1. Paris capitula le 3 juillet 1815.
2. À l'est de Paris, près de Villeparisis, que Balzac connaissait bien pour y avoir vécu avec ses parents en 1821-1822.

restai pendant un mois assez heureux. Je fus bientôt renvoyé. J'étais sans argent, mais bien portant et sur le bon pavé de Paris. Avec quelle joie et quelle promptitude j'allai rue du Mont-Blanc, où ma femme devait être logée dans un hôtel à moi ! Bah ! la rue du Mont-Blanc était devenue la rue de la Chaussée d'Antin [1]. Je n'y vis plus mon hôtel, il avait été vendu, démoli. Des spéculateurs avaient bâti plusieurs maisons dans mes jardins. Ignorant que ma femme fût mariée à monsieur Ferraud, je ne pouvais obtenir aucun renseignement. Enfin je me rendis chez un vieil avocat qui jadis était chargé de mes affaires. Le bonhomme était mort après avoir cédé sa clientèle à un jeune homme. Celui-ci m'apprit, à mon grand étonnement, l'ouverture de ma succession, sa liquidation, le mariage de ma femme et la naissance de ses deux enfants. Quand je lui dis être le colonel Chabert, il se mit à rire si franchement que je le quittai sans lui faire la moindre observation. Ma détention de Stuttgart me fit songer à Charenton [2], et je résolus d'agir avec prudence. Alors, monsieur, sachant où demeurait ma femme, je m'acheminai vers son hôtel, le cœur plein d'espoir. Eh bien, dit le colonel avec un mouvement de rage concentrée, je n'ai pas été reçu lorsque je me fis annoncer sous un nom d'emprunt, et le jour où je pris le mien je fus consigné à sa porte. Pour voir la comtesse rentrant du bal ou du

---

1. Cette rue, située dans le Ier arrondissement d'alors, portait en fait dès avant la Révolution le nom du duc d'Antin, fils de Mme de Montespan, très zélé courtisan de Louis XIV et qui possédait un vaste hôtel situé face au débouché de cette rue sur ce qui deviendrait en 1680 le boulevard des Capucines ; devenue rue Mirabeau en 1791, puis rue du Mont-Blanc en 1793 – le département du Mont-Blanc venait d'être réuni à la France en novembre 1792 –, elle retrouva son nom d'Ancien Régime en 1816.

2. Cette maison de force (aujourd'hui maison de santé de Saint-Maurice), fondée en 1641, reçut (jusqu'à l'abolition des lettres de cachets, en 1781) aussi bien des aliénés placés par leurs familles que des réclusionnaires internés par ordre du roi ; supprimée par la Révolution, elle fut rouverte par le Directoire.

spectacle, au matin, je suis resté pendant des nuits entières collé contre la borne de sa porte cochère. Mon regard plongeait dans cette voiture qui passait devant mes yeux avec la rapidité de l'éclair, et où j'entrevoyais à peine cette femme qui est mienne et qui n'est plus à moi ! Oh ! dès ce jour j'ai vécu pour la vengeance, s'écria le vieillard d'une voix sourde en se dressant tout à coup devant Derville. Elle sait que j'existe ; elle a reçu de moi, depuis mon retour, deux lettres écrites par moi-même. Elle ne m'aime plus ! Moi, j'ignore si je l'aime ou si je la déteste ! je la désire et la maudis tour à tour. Elle me doit sa fortune, son bonheur ; eh bien, elle ne m'a pas seulement fait parvenir le plus léger secours ! Par moments je ne sais plus que devenir ! »

À ces mots, le vieux soldat retomba sur sa chaise, et redevint immobile. Derville resta silencieux, occupé à contempler son client.

« L'affaire est grave, dit-il enfin machinalement. Même en admettant l'authenticité des pièces qui doivent se trouver à Heilsberg, il ne m'est pas prouvé que nous puissions triompher tout d'abord. Le procès ira successivement devant trois tribunaux. Il faut réfléchir à tête reposée sur une semblable cause, elle est tout exceptionnelle.

— Oh ! répondit froidement le colonel en relevant la tête par un mouvement de fierté, si je succombe, je saurai mourir, mais en compagnie. »

Là, le vieillard avait disparu. Les yeux de l'homme énergique brillaient rallumés aux feux du désir et de la vengeance.

« Il faudra peut-être transiger, dit l'avoué.

— Transiger, répéta le colonel Chabert. Suis-je mort ou suis-je vivant [1] ?

---

1. Balzac avait d'abord écrit : « Suis-je ou ne suis-je pas ? – souvenir du *Hamlet* de Shakespeare. Rappelons que *La Transaction* était le titre de la première version imprimée de la nouvelle, et, dans l'édition originale, le titre de la seconde partie du texte (voir *infra*, note 1, p. 79).

– Monsieur, reprit l'avoué, vous suivrez, je l'espère, mes conseils. Votre cause sera ma cause. Vous vous apercevrez bientôt de l'intérêt que je prends à votre situation, presque sans exemple dans les fastes judiciaires. En attendant, je vais vous donner un mot pour mon notaire, qui vous remettra, sur votre quittance, cinquante francs tous les dix jours. Il ne serait pas convenable que vous vinssiez chercher ici des secours. Si vous êtes le colonel Chabert, vous ne devez être à la merci de personne. Je donnerai à ces avances la forme d'un prêt. Vous avez des biens à recouvrer, vous êtes riche. »

Cette dernière délicatesse arracha des larmes au vieillard. Derville se leva brusquement, car il n'était peut-être pas de costume [1] qu'un avoué parût s'émouvoir ; il passa dans son cabinet, d'où il revint avec une lettre non cachetée qu'il remit au comte Chabert. Lorsque le pauvre homme la tint entre ses doigts, il sentit deux pièces d'or à travers le papier.

« Voulez-vous me désigner les actes, me donner le nom de la ville, du royaume ? » dit l'avoué.

Le colonel dicta les renseignements en vérifiant l'orthographe des noms de lieux ; puis, il prit son chapeau d'une main, regarda Derville, lui tendit l'autre main, une main calleuse, et lui dit d'une voix simple : « Ma foi, monsieur, après l'Empereur, vous êtes l'homme auquel je devrai le plus ! Vous êtes *un brave*. »

L'avoué frappa dans la main du colonel, le reconduisit jusque sur l'escalier et l'éclaira.

« Boucard, dit Derville à son Maître clerc, je viens d'entendre une histoire qui me coûtera peut-être vingt-cinq louis. Si je suis volé, je ne regretterai pas mon argent, j'aurai vu le plus habile comédien de notre époque. »

Quand le colonel se trouva dans la rue et devant un réverbère, il retira de la lettre les deux pièces de vingt

---

1. Archaïsme pour *de coutume*.

francs que l'avoué lui avait données, et les regarda pendant un moment à la lumière. Il revoyait de l'or pour la première fois depuis neuf ans.

« Je vais donc pouvoir fumer des cigares », se dit-il.

Environ trois mois après cette consultation [1] nuitamment faite par le colonel Chabert chez Derville, le notaire chargé de payer la demi-solde que l'avoué faisait à son singulier client vint le voir pour conférer sur une affaire grave, et commença par lui réclamer six cents francs donnés au vieux militaire.

« Tu t'amuses donc à entretenir l'ancienne armée ? lui dit en riant ce notaire nommé Crottat, jeune homme qui venait d'acheter l'étude où il était Maître clerc, et dont le patron venait de prendre la fuite en faisant une épouvantable faillite [2].

– Je te remercie, mon cher maître, répondit Derville, de me rappeler cette affaire-là. Ma philanthropie n'ira pas au-delà de vingt-cinq louis, je crains déjà d'avoir été la dupe de mon patriotisme. »

Au moment où Derville achevait sa phrase, il vit sur son bureau les paquets que son Maître clerc y avait mis. Ses yeux furent frappés à l'aspect des timbres oblongs, carrés, triangulaires, rouges, bleus, apposés sur une lettre par les postes prussienne, autrichienne, bavaroise et française.

« Ah ! dit-il en riant, voici le dénouement de la comédie, nous allons voir si je suis attrapé. » Il prit la lettre et l'ouvrit, mais il n'y put rien lire, elle était écrite en allemand. « Boucard, allez vous-même faire traduire cette lettre, et revenez promptement », dit Derville en entrouvrant la porte de son cabinet et tendant la lettre à son Maître clerc.

---

1. A. : « III. Les deux visites. » B. : « La Transaction. »
2. C'est-à-dire Roguin, nommé plus loin, ruiné par sa maîtresse, Sara Van Gobseck dite « la belle Hollandaise », et dont la faillite et la fuite provoquent entre autres la ruine du frère de Grandet et celle de César Birotteau.

Le notaire de Berlin auquel s'était adressé l'avoué lui annonçait que les actes dont les expéditions étaient demandées lui parviendraient quelques jours après cette lettre d'avis. Les pièces étaient, disait-il, parfaitement en règle, et revêtues des légalisations nécessaires pour faire foi en justice. En outre, il lui mandait que presque tous les témoins des faits consacrés par les procès-verbaux existaient à Prussich-Eylau [1] ; et que la femme à laquelle monsieur le comte Chabert devait la vie vivait encore dans un des faubourgs d'Heilsberg.

« Ceci devient sérieux », s'écria Derville quand Boucard eut fini de lui donner la substance de la lettre. « Mais, dis donc, mon petit, reprit-il en s'adressant au notaire, je vais avoir besoin de renseignements qui doivent être en ton étude. N'est-ce pas chez ce vieux fripon de Roguin...

– Nous disons l'infortuné, le malheureux Roguin, reprit Me Alexandre Crottat en riant et interrompant Derville.

– N'est-ce pas chez cet infortuné qui vient d'emporter huit cent mille francs à ses clients et de réduire plusieurs familles au désespoir, que s'est faite la liquidation de la succession Chabert ? Il me semble que j'ai vu cela dans nos pièces Ferraud.

– Oui, répondit Crottat, j'étais alors troisième clerc, je l'ai copiée et bien étudiée, cette liquidation. Rose Chapotel, épouse et veuve de Hyacinthe, dit Chabert, comte de l'Empire, grand-officier de la Légion d'honneur ; ils s'étaient mariés sans contrat, ils étaient donc communs en biens. Autant que je puis m'en souvenir, l'actif s'élevait à six cent mille francs. Avant son mariage, le comte Chabert avait fait un testament en faveur des hospices de Paris, par lequel il leur attribuait le quart de la fortune qu'il posséderait au moment de son décès, le domaine

---

1. « Nom donné au site de la bataille pour le distinguer de Deutsch-Eylau, autre localité prussienne », précise Patrick Berthier.

héritait de l'autre quart. Il y a eu licitation, vente et partage, parce que les avoués sont allés bon train. Lors de la liquidation, le monstre qui gouvernait alors la France [1] a rendu par un décret la portion du fisc à la veuve du colonel.

– Ainsi la fortune personnelle du comte Chabert ne se monterait donc qu'à trois cent mille francs.

– Par conséquent, mon vieux ! répondit Crottat. Vous avez parfois l'esprit juste, vous autres avoués, quoiqu'on vous accuse de vous le fausser en plaidant aussi bien le Pour que le Contre [2]. »

Le comte Chabert, dont l'adresse se lisait au bas de la première quittance que lui [3] avait remise le notaire, demeurait dans le faubourg Saint-Marceau, rue du Petit-Banquier [4], chez un vieux maréchal des logis de la garde impériale, devenu nourrisseur [5], et nommé Vergniaud. Arrivé là, Derville fut forcé d'aller à pied à la recherche de son client ; car son cocher refusa de s'engager dans une rue non pavée et dont les ornières étaient un peu trop profondes pour les roues d'un cabriolet. En regardant de tous les côtés, l'avoué finit par trouver, dans la partie de

---

1. Cliché ultra pour désigner Napoléon, qu'on trouve par exemple souvent sous la plume de la duchesse d'Abrantès.

2. Pierre Citron note que cette expression juridique, ajoutée en 1835, rappelle « Le Pour et le Contre », titre, la même année, de la première partie de *La Fleur des Pois* (qui deviendra *Le Contrat de mariage*).

3. C'est-à-dire, à Derville.

4. Aujourd'hui rue Watteau, cette rue relie toujours la rue du Banquier au boulevard de l'Hôpital ; le quartier Saint-Marceau (ou Saint-Marcel) était dans le XIIe arrondissement d'alors, le plus pauvre de Paris (cf. *L'Interdiction*). À cent cinquante mètres en descendant le boulevard, on arrivait à la barrière d'Italie (aujourd'hui place d'Italie) : c'était donc presque la campagne ; à quatre cents mètres en le remontant, on arrivait à la Salpêtrière, l'asile des femmes (voir *infra*, note 3, p. 125). Victor Hugo situera dans ce même quartier la masure Gorbeau des *Misérables*, où Jean Valjean se réfugie après avoir enlevé Cosette aux Thénardier.

5. « Celui qui, à Paris [...], nourrit des vaches dans l'étable pour faire commerce de leur lait » (*Littré*).

cette rue qui avoisine le boulevard, entre deux murs bâtis
avec des ossements et de la terre, deux mauvais pilastres
en moellons, que le passage des voitures avait ébréchés,
malgré deux morceaux de bois placés en forme de bornes.
Ces pilastres soutenaient une poutre couverte d'un cha-
peron en tuiles, sur laquelle ces mots étaient écrits en
rouge : VERGNIAUD, NOURICEURE. À droite de ce nom,
se voyaient des œufs, et à gauche une vache, le tout peint
en blanc. La porte était ouverte et restait sans doute ainsi
pendant toute la journée. Au fond d'une cour assez spa-
cieuse, s'élevait, en face de la porte, une maison, si toutefois ce nom convient à l'une de ces masures bâties dans
les faubourgs de Paris, et qui ne sont comparables à rien,
pas même aux plus chétives habitations de la campagne,
dont elles ont la misère sans en avoir la poésie. En effet,
au milieu des champs, les cabanes ont encore une grâce
que leur donnent la pureté de l'air, la verdure, l'aspect
des champs, une colline, un chemin tortueux, des vignes,
une haie vive, la mousse des chaumes, et les ustensiles
champêtres ; mais à Paris la misère ne se grandit que par
son horreur. Quoique récemment construite, cette maison semblait près de tomber en ruine. Aucun des matériaux n'y avait eu sa vraie destination, ils provenaient
tous des démolitions qui se font journellement dans
Paris. Derville lut sur un volet fait avec les planches d'une
enseigne : *Magasin de nouveautés*. Les fenêtres ne se res-
semblaient point entre elles et se trouvaient bizarrement
placées. Le rez-de-chaussée, qui paraissait être la partie
habitable, était exhaussé d'un côté, tandis que de l'autre
les chambres étaient enterrées par une éminence. Entre
la porte et la maison s'étendait une mare pleine de fumier
où coulaient les eaux pluviales et ménagères. Le mur sur
lequel s'appuyait ce chétif logis, et qui paraissait être plus
solide que les autres, était garni de cabanes grillagées où
de vrais lapins faisaient leurs nombreuses familles. À
droite de la porte cochère se trouvait la vacherie surmontée d'un grenier à fourrages, et qui communiquait à la

maison par une laiterie. À gauche étaient une basse-cour, une écurie et un toit à cochons qui avait été fini, comme celui de la maison, en mauvaises planches de bois blanc clouées les unes sur les autres, et mal recouvertes avec du jonc. Comme presque tous les endroits où se cuisinent les éléments du grand repas que Paris dévore chaque jour, la cour dans laquelle Derville mit le pied offrait les traces de la précipitation voulue par la nécessité d'arriver à heure fixe. Ces grands vases de fer-blanc bossués dans lesquels se transporte le lait, et les pots qui contiennent la crème, étaient jetés pêle-mêle devant la laiterie, avec leurs bouchons de linge. Les loques trouées qui servaient à les essuyer flottaient au soleil étendues sur des ficelles attachées à des piquets. Ce cheval pacifique, dont la race ne se trouve que chez les laitières, avait fait quelques pas en avant de sa charrette et restait devant l'écurie, dont la porte était fermée. Une chèvre broutait le pampre de la vigne grêle et poudreuse qui garnissait le mur jaune et lézardé de la maison. Un chat était accroupi sur les pots à crème et les léchait. Les poules, effarouchées à l'approche de Derville, s'envolèrent en criant, et le chien de garde aboya.

« L'homme qui a décidé le gain de la bataille d'Eylau serait là ! » se dit Derville en saisissant d'un seul coup d'œil l'ensemble de ce spectacle ignoble.

La maison était restée sous la protection de trois gamins. L'un, grimpé sur le faîte d'une charrette chargée de fourrage vert, jetait des pierres dans un tuyau de cheminée de la maison voisine, espérant qu'elles y tomberaient dans la marmite. L'autre essayait d'amener un cochon sur le plancher de la charrette qui touchait à terre, tandis que le troisième pendu à l'autre bout attendait que le cochon y fût placé pour l'enlever en faisant faire la bascule à la charrette. Quand Derville leur demanda si c'était bien là que demeurait monsieur Chabert, aucun ne répondit, et tous trois le regardèrent avec une stupidité spirituelle, s'il est permis d'allier ces deux mots. Derville réitéra ses questions sans succès. Impatienté par l'air narquois des trois drôles, il leur dit de ces injures plaisantes que les jeunes gens se croient le droit d'adresser aux enfants, et les gamins rompirent le silence par un rire brutal. Derville se fâcha. Le colonel, qui l'entendit, sortit d'une petite chambre basse située près de la laiterie et apparut sur le seuil de sa porte avec un flegme militaire inexprimable. Il avait à la bouche une de ces pipes notablement *culottées* (expression technique des fumeurs), une de ces humbles pipes de terre blanche nommées des *brûle-gueules* [1]. Il leva la visière d'une casquette horriblement crasseuse, aperçut Derville et traversa le fumier, pour venir plus promptement à son bienfaiteur, en criant d'une voix amicale aux gamins : « Silence dans les rangs ! » Les enfants gardèrent aussitôt un silence respectueux qui annonçait l'empire exercé sur eux par le vieux soldat.

« Pourquoi ne m'avez-vous pas écrit ? dit-il à Derville. Allez le long de la vacherie ! Tenez, là, le chemin est pavé », s'écria-t-il en remarquant l'indécision de l'avoué qui ne voulait pas se mouiller les pieds dans le fumier.

En sautant de place en place, Derville arriva sur le seuil de la porte par où le colonel était sorti. Chabert parut désagréablement affecté d'être obligé de le recevoir dans la chambre qu'il occupait. En effet, Derville n'y aperçut qu'une seule chaise. Le lit du colonel consistait en quelques bottes de paille sur lesquelles son hôtesse avait étendu deux ou trois lambeaux de ces vieilles tapisseries, ramassées je ne sais où, qui servent aux laitières à garnir les bancs de leurs charrettes. Le plancher était tout simplement en terre battue. Les murs salpêtrés, verdâtres et fendus répandaient une si forte humidité, que le mur contre lequel couchait le colonel était tapissé d'une natte en jonc. Le fameux carrick pendait à un clou. Deux mauvaises paires de bottes gisaient dans un coin. Nul vestige

---

1. Parce que ces pipes avaient un tuyau très court.

de linge. Sur la table vermoulue, les Bulletins de la Grande Armée [1] réimprimés par Plancher étaient ouverts, et paraissaient être la lecture du colonel, dont la physionomie était calme et sereine au milieu de cette misère. Sa visite chez Derville semblait avoir changé le caractère de ses traits, où l'avoué trouva les traces d'une pensée heureuse, une lueur particulière qu'y avait jetée l'espérance.

« La fumée de la pipe vous incommode-t-elle ? dit-il, en tendant à son avoué la chaise à moitié dépaillée.

– Mais, colonel, vous êtes horriblement mal ici. »

Cette phrase fut arrachée à Derville par la défiance naturelle aux avoués, et par la déplorable expérience que leur donnent de bonne heure les épouvantables drames inconnus auxquels ils assistent.

« Voilà, se dit-il, un homme qui aura certainement employé mon argent à satisfaire les trois vertus théologales du troupier : le jeu, le vin et les femmes !

– C'est vrai, monsieur, nous ne brillons pas ici par le luxe. C'est un bivouac tempéré par l'amitié, mais… » Ici le soldat lança un regard profond à l'homme de loi. « Mais, je n'ai fait de tort à personne, je n'ai jamais repoussé personne, et je dors tranquille. »

L'avoué songea qu'il y aurait peu de délicatesse à

---

1. Ces « bulletins », qui justifiaient et expliquaient les opérations militaires, furent inaugurés lors de la campagne de Bavière (octobre 1805), et connurent dès 1806 une vaste diffusion : les acteurs les déclamaient sur la scène des théâtres, les professeurs les lisaient aux élèves, les curés les commentaient en chaire ; leur arrivée était annoncée au son de la cloche ou du tambour jusque dans les villages les plus reculés ; ainsi se maintenait la fiction d'une armée nationale alors que la Grande Armée n'était plus que l'instrument de l'Empereur, ainsi se créait la légende à laquelle les vieux grognards comme Vergniaud se raccrochèrent. Noter que le 64e Bulletin ne put dissimuler l'horreur d'Eylau : « Après la bataille d'Eylau, l'Empereur a passé tous les jours plusieurs heures sur le champ de bataille, spectacle horrible, mais que le devoir rendait nécessaire. Il a fallu beaucoup de travail pour enterrer les morts. » (Tulard, *op. cit.*, p. 184 et 193.)

demander compte à son client des sommes qu'il lui avait avancées, et il se contenta de lui dire : « Pourquoi n'avez-vous donc pas voulu venir dans Paris où vous auriez pu vivre aussi peu chèrement que vous vivez ici, mais où vous auriez été mieux ?

– Mais, répondit le colonel, les braves gens chez lesquels je suis m'avaient recueilli, nourri *gratis* depuis un an ! comment les quitter au moment où j'avais un peu d'argent ? Puis le père de ces trois gamins est un vieux *égyptien…*

– Comment, un égyptien ?

– Nous appelons ainsi les troupiers qui sont revenus de l'expédition d'Égypte de laquelle j'ai fait partie [1]. Non seulement tous ceux qui en sont revenus sont un peu frères, mais Vergniaud était alors dans mon régiment, nous avions partagé de l'eau dans le désert. Enfin, je n'ai pas encore fini d'apprendre à lire à ses marmots.

– Il aurait bien pu vous mieux loger, pour votre argent, lui.

– Bah ! dit le colonel, ses enfants couchent comme moi sur la paille ! Sa femme et lui n'ont pas un lit meilleur, ils sont bien pauvres, voyez-vous ? ils ont pris un établissement au-dessus de leurs forces. Mais si je recouvre ma fortune !… Enfin, suffit !

– Colonel, je dois recevoir demain ou après vos actes d'Heilsberg. Votre libératrice vit encore !

– Sacré argent ! Dire que je n'en ai pas ! » s'écria-t-il en jetant par terre sa pipe.

Une pipe *culottée* est une pipe précieuse pour un fumeur ; mais ce fut par un geste si naturel, par un mouvement si généreux, que tous les fumeurs et même la Régie lui eussent pardonné ce crime de lèse-tabac. Les anges auraient peut-être ramassé les morceaux.

« Colonel, votre affaire est excessivement compliquée,

---

1. En 1798-1799, quand Napoléon n'était encore que Bonaparte.

lui dit Derville en sortant de la chambre pour s'aller promener au soleil le long de la maison.

– Elle me paraît, dit le soldat, parfaitement simple. L'on m'a cru mort, me voilà ! Rendez-moi ma femme et ma fortune ; donnez-moi le grade de général auquel j'ai droit, car j'ai passé colonel dans la garde impériale, la veille de la bataille d'Eylau.

– Les choses ne vont pas ainsi dans le monde judiciaire, reprit Derville. Écoutez-moi. Vous êtes le comte Chabert, je le veux bien, mais il s'agit de le prouver judiciairement à des gens qui vont avoir intérêt à nier votre existence. Ainsi, vos actes seront discutés. Cette discussion entraînera dix ou douze questions préliminaires. Toutes iront contradictoirement jusqu'à la cour suprême, et constitueront autant de procès coûteux, qui traîneront en longueur, quelle que soit l'activité que j'y mette. Vos adversaires demanderont une enquête à laquelle nous ne pourrons pas nous refuser, et qui nécessitera peut-être une commission rogatoire en Prusse. Mais supposons tout au mieux : admettons qu'il soit reconnu promptement par la justice que vous êtes le colonel Chabert. Savons-nous comment sera jugée la question soulevée par la bigamie fort innocente de la comtesse Ferraud ? Dans votre cause, le point de droit est en dehors du code, et ne peut être jugé par les juges que suivant les lois de la conscience, comme fait le jury dans les questions délicates que présentent les bizarreries sociales de quelques procès criminels. Or, vous n'avez pas eu d'enfants de votre mariage, et M. le comte Ferraud en a deux du sien, les juges peuvent déclarer nul le mariage où se rencontrent les liens les plus faibles, au profit du mariage qui en comporte de plus forts, du moment où il y a eu bonne foi chez les contractants. Serez-vous dans une position morale bien belle, en voulant *mordicus*[1] avoir à votre âge et dans les circonstances où vous vous trouvez

---

1. Mot familier : « avec ténacité, opiniâtreté » (*Littré*).

une femme qui ne vous aime plus ? Vous aurez contre
vous votre femme et son mari, deux personnes puissantes
qui pourront influencer les tribunaux. Le procès a donc
des éléments de durée. Vous aurez le temps de vieillir
dans les chagrins les plus cuisants.

– Et ma fortune ?

– Vous vous croyez donc une grande fortune ?

– N'avais-je pas trente mille livres de rente ?

– Mon cher colonel, vous aviez fait, en 1799, avant
votre mariage, un testament qui léguait le quart de vos
biens aux hospices.

– C'est vrai.

– Eh bien, vous censé mort, n'a-t-il pas fallu procéder
à un inventaire, à une liquidation afin de donner ce quart
aux hospices ? Votre femme ne s'est pas fait scrupule de
tromper les pauvres. L'inventaire, où sans doute elle s'est
bien gardée de mentionner l'argent comptant, les pierre-
ries, où elle aura produit peu d'argenterie, et où le mobilier a été estimé à deux tiers au-dessous du prix réel, soit
pour la favoriser, soit pour payer moins de droits au fisc,
et aussi parce que les commissaires-priseurs sont respon-
sables de leurs estimations, l'inventaire ainsi fait a établi
six cent mille francs de valeurs. Pour sa part, votre veuve
avait droit à la moitié. Tout a été vendu, racheté par elle,
elle a bénéficié sur tout, et les hospices ont eu leurs soixante-quinze mille francs. Puis, comme le fisc héritait de
vous, attendu que vous n'aviez pas fait mention de votre
femme dans votre testament, l'Empereur a rendu par un
décret à votre veuve la portion qui revenait au domaine
public. Maintenant, à quoi avez-vous droit ? à trois cent
mille francs seulement, moins les frais.

– Et vous appelez cela la justice ? dit le colonel ébahi.

– Mais, certainement…

– Elle est belle.

– Elle est ainsi, mon pauvre colonel. Vous voyez que
ce que vous avez cru facile ne l'est pas. Mme Ferraud

peut même vouloir garder la portion qui lui a été donnée par l'Empereur.

– Mais elle n'était pas veuve, le décret est nul...

– D'accord. Mais tout se plaide. Écoutez-moi. Dans ces circonstances, je crois qu'une transaction serait, et pour vous et pour elle, le meilleur dénouement du procès. Vous y gagnerez une fortune plus considérable que celle à laquelle vous auriez droit.

– Ce serait vendre ma femme !

– Avec vingt-quatre mille francs de rente, vous aurez, dans la position où vous vous trouvez, des femmes qui vous conviendront mieux que la vôtre, et qui vous rendront plus heureux. Je compte aller voir aujourd'hui même Mme la comtesse Ferraud afin de sonder le terrain ; mais je n'ai pas voulu faire cette démarche sans vous en prévenir.

– Allons ensemble chez elle...

– Fait comme vous êtes ? dit l'avoué. Non, non, colonel, non. Vous pourriez y perdre tout à fait votre procès...

– Mon procès est-il gagnable ?

– Sur tous les chefs, répondit Derville. Mais, mon cher colonel Chabert, vous ne faites pas attention à une chose. Je ne suis pas riche, ma charge n'est pas entièrement payée. Si les tribunaux vous accordent une *provision*, c'est-à-dire une somme à prendre par avance sur votre fortune, ils ne l'accorderont qu'après avoir reconnu vos qualités de comte Chabert, grand-officier de la Légion d'honneur [1].

– Tiens, je suis grand-officier de la Légion, je n'y pensais plus, dit-il naïvement.

– Eh bien, jusque-là, reprit Derville, ne faut-il pas plaider, payer des avocats, lever et solder les jugements, faire

---

1. La Légion d'honneur, instituée le 19 mai 1802, rencontra un succès immense, tout particulièrement auprès de l'armée ; en 1808 on comptait, selon Jean Tulard, 20 275 légionnaires.

marcher des huissiers, et vivre ? les frais des instances préparatoires se monteront, à vue de nez, à plus de douze ou quinze mille francs. Je ne les ai pas, moi qui suis écrasé par les intérêts énormes que je paye à celui qui m'a prêté l'argent de ma charge [1]. Et vous ! où les trouverez-vous ? »

De grosses larmes tombèrent des yeux flétris du pauvre soldat et roulèrent sur ses joues ridées. À l'aspect de ces difficultés, il fut découragé. Le monde social et judiciaire lui pesait sur la poitrine comme un cauchemar.

« J'irai, s'écria-t-il, au pied de la colonne de la place Vendôme, je crierai là : "Je suis le colonel Chabert qui a enfoncé le grand carré des Russes à Eylau !" Le bronze, lui ! me reconnaîtra [2].

– Et l'on vous mettra sans doute à Charenton. » À ce nom redouté, l'exaltation du militaire tomba.

« N'y aurait-il donc pas pour moi quelques chances favorables au ministère de la Guerre ?

– Les bureaux ! dit Derville. Allez-y, mais avec un jugement bien en règle qui déclare nul votre acte de décès. Les bureaux voudraient pouvoir anéantir les gens de l'Empire. »

---

1. Dans *Les Dangers de l'inconduite* (qui deviendra en 1835 *Le Papa Gobseck* et en 1842 *Gobseck* tout court), Gobseck prête à Derville cent cinquante mille francs à quinze pour cent pour acheter la charge de son ancien patron qui s'est, comme Roguin, ruiné en plaisirs.
2. La colonne Vendôme fut, on le sait, coulée dans le bronze des canons pris à l'ennemi à Austerlitz ; on sait moins, en revanche, qu'à l'origine la colonne était surmontée d'une statue de Napoléon en empereur romain, que la Restauration fit en 1818 remplacer par une énorme fleur de lys (cependant que le bronze de la statue servait à refondre l'Henri IV du Pont-Neuf, renversé par la Révolution). En 1833, Louis-Philippe fit remettre un Petit Caporal au sommet de la colonne ; en 1835, Hugo publia sa célèbre « Ode à la Colonne » dans *Les Chants du crépuscule*, faisant à jamais de la colonne Vendôme le symbole littéraire de la grandeur impériale. (La statue qu'on peut voir aujourd'hui au sommet de la colonne est une copie de la statue primitive, installée en 1853 par Napoléon III.)

Le colonel resta pendant un moment interdit, immobile, regardant sans voir, abîmé dans un désespoir sans bornes. La justice militaire est franche, rapide, elle décide à la turque, et juge presque toujours bien ; cette justice était la seule que connût Chabert. En apercevant le dédale de difficultés où il fallait s'engager, en voyant combien il fallait d'argent pour y voyager, le pauvre soldat reçut un coup mortel dans cette puissance particulière à l'homme et que l'on nomme la *volonté*. Il lui parut impossible de vivre en plaidant, il fut pour lui mille fois plus simple de rester pauvre, mendiant, de s'engager comme cavalier si quelque régiment voulait de lui. Ses souffrances physiques et morales lui avaient déjà vicié le corps dans quelques-uns des organes les plus importants. Il touchait à l'une de ces maladies pour lesquelles la médecine n'a pas de nom, dont le siège est en quelque sorte mobile comme l'appareil nerveux qui paraît le plus attaqué parmi tous ceux de notre machine, affection qu'il faudrait nommer le *spleen* [1] du malheur. Quelque grave que fût déjà ce mal invisible, mais réel, il était encore guérissable par une heureuse conclusion. Pour ébranler tout à fait cette vigoureuse organisation, il suffirait d'un obstacle nouveau, de quelque fait imprévu qui en romprait les ressorts affaiblis et produirait ces hésitations, ces actes incompris, incomplets, que les physiologistes observent chez les êtres ruinés par les chagrins.

En reconnaissant alors les symptômes d'un profond abattement chez son client, Derville lui dit : « Prenez courage, la solution de cette affaire ne peut que vous être favorable. Seulement, examinez si vous pouvez me donner toute votre confiance, et accepter aveuglément le résultat que je croirai le meilleur pour vous.

---

1. « Forme de l'hypochondrie, consistant en un ennui sans cause, en un dégoût de la vie » (*Littré*) ; le mot est attesté en français dès 1745 – de l'anglais *spleen* : rate, car la rate, selon les anciens, sécrétait une humeur mauvaise, la bile noire, ou *mélancolie*.

– Faites comme vous voudrez, dit Chabert.

– Oui, mais vous vous abandonnez à moi comme un homme qui marche à la mort ?

– Ne vais-je pas rester sans état, sans nom ? Est-ce tolérable ?

– Je ne l'entends pas ainsi, dit l'avoué. Nous poursuivrons à l'amiable un jugement pour annuler votre acte de décès et votre mariage, afin que vous repreniez vos droits. Vous serez même, par l'influence du comte Ferraud, porté sur les cadres de l'armée comme général, et vous obtiendrez sans doute une pension.

– Allez donc ! répondit Chabert, je me fie entièrement à vous.

– Je vous enverrai donc une procuration à signer, dit Derville. Adieu, bon courage ! S'il vous faut de l'argent, comptez sur moi. »

Chabert serra chaleureusement la main de Derville, et resta le dos appuyé contre la muraille, sans avoir la force de le suivre autrement que des yeux. Comme tous les gens qui comprennent peu les affaires judiciaires, il s'effrayait de cette lutte imprévue. Pendant cette conférence, à plusieurs reprises, il s'était avancé, hors d'un pilastre de la porte cochère, la figure d'un homme posté dans la rue pour guetter la sortie de Derville, et qui l'accosta quand il sortit. C'était un vieux homme vêtu d'une veste bleue, d'une cotte blanche plissée semblable à celle des brasseurs, et qui portait sur la tête une casquette de loutre. Sa figure était brune, creusée, ridée, mais rougie sur les pommettes par l'excès du travail et hâlée par le grand air.

« Excusez, monsieur, dit-il à Derville en l'arrêtant par le bras, si je prends la liberté de vous parler, mais je me suis douté, en vous voyant, que vous étiez l'ami de notre général.

– Eh bien ? dit Derville, en quoi vous intéressez-vous à lui ? Mais qui êtes-vous ? reprit le défiant avoué.

– Je suis Louis Vergniaud, répondit-il d'abord. Et j'aurais deux mots à vous dire.

– Et c'est vous qui avez logé le comte Chabert comme il l'est ?

– Pardon, excuse, monsieur, il a la plus belle chambre. Je lui aurais donné la mienne, si je n'en avais eu qu'une. J'aurais couché dans l'écurie. Un homme qui a souffert comme lui, qui apprend à lire à mes *mioches*, un général, un égyptien, le premier lieutenant sous lequel j'ai servi… faudrait voir ? Du tout, il est le mieux logé. J'ai partagé avec lui ce que j'avais. Malheureusement ce n'était pas grand-chose, du pain, du lait, des œufs ; enfin à la guerre comme à la guerre ! C'est de bon cœur. Mais il nous a vexés.

– Lui ?

– Oui, monsieur, vexés, là ce qui s'appelle en plein. J'ai pris un établissement au-dessus de mes forces, il le voyait bien. Ça vous le contrariait, et il pansait le cheval ! Je lui dis : "Mais, mon général ? – Bah ! qui dit, je ne veux pas être comme un fainéant, et il y a longtemps que je sais brosser le lapin." J'avais donc fait des billets pour le prix de ma vacherie à un nommé Grados… Le connaissez-vous, monsieur ?

– Mais, mon cher, je n'ai pas le temps de vous écouter. Seulement dites-moi comment le colonel vous a vexés !

– Il nous a vexés, monsieur, aussi vrai que je m'appelle Louis Vergniaud et que ma femme en a pleuré. Il a su par les voisins que nous n'avions pas le premier sou de notre billet. Le vieux grognard, sans rien dire, a amassé tout ce que vous lui donniez, a guetté le billet et l'a payé. C'te malice ! Que ma femme et moi nous savions qu'il n'avait pas de tabac, ce pauvre vieux, et qu'il s'en passait ! Oh ! maintenant, tous les matins il a ses cigares ! Je me vendrais plutôt… Non ! nous sommes vexés. Donc, je voudrais vous proposer de nous prêter, vu qu'il nous a dit que vous étiez un brave homme, une centaine d'écus sur notre établissement, afin que nous lui fassions faire des habits, que nous lui meublions sa chambre. Il a cru nous acquitter, pas vrai ? Eh bien, au contraire, voyez-vous, l'ancien nous a endettés… et vexés ! Il ne devait pas nous faire cette avanie-là. Il nous a vexés ! et des amis, encore ? Foi d'honnête homme, aussi vrai que je m'appelle Louis Vergniaud, je m'engagerais plutôt que de ne pas vous rendre cet argent-là… »

Derville regarda le nourrisseur, et fit quelques pas en arrière pour revoir la maison, la cour, les fumiers, l'étable, les lapins, les enfants.

« Par ma foi, je crois qu'un des caractères de la vertu est de ne pas être propriétaire, se dit-il. Va, tu auras tes cent écus ! et plus même. Mais ce ne sera pas moi qui te les donnerai, le colonel sera bien assez riche pour t'aider, et je ne veux pas lui en ôter le plaisir.

– Ce sera-t-il bientôt ?

– Mais oui.

– Ah ! mon Dieu, que mon épouse va-t-être contente ! »

Et la figure tannée du nourrisseur sembla s'épanouir.

« Maintenant, se dit Derville en remontant dans son cabriolet, allons chez notre adversaire. Ne laissons pas voir notre jeu, tâchons de connaître le sien, et gagnons la partie d'un seul coup. Il faudrait l'effrayer ? Elle est femme. De quoi s'effraient le plus les femmes ? Mais les femmes ne s'effraient que de… »

Il se mit à étudier la position de la comtesse, et tomba dans une de ces méditations auxquelles se livrent les grands politiques en concevant leurs plans, en tâchant de deviner le secret des cabinets ennemis. Les avoués ne sont-ils pas en quelque sorte des hommes d'État chargés des affaires privées ? Un coup d'œil jeté sur la situation de M. le comte Ferraud et de sa femme est ici nécessaire pour faire comprendre le génie de l'avoué.

M. le comte Ferraud était le fils d'un ancien Conseiller au Parlement de Paris, qui avait émigré pendant le temps de la Terreur, et qui, s'il sauva sa tête, perdit sa fortune.

Il rentra sous le Consulat et resta constamment fidèle aux intérêts de Louis XVIII, dans les entours duquel était son père avant la révolution. Il appartenait donc à cette partie du faubourg Saint-Germain qui résista noblement aux séductions de Napoléon. La réputation de capacité que se fit le jeune comte, alors simplement appelé M. Ferraud, le rendit l'objet des coquetteries de l'Empereur, qui souvent était aussi heureux de ses conquêtes sur l'aristocratie que du gain d'une bataille. On promit au comte la restitution de son titre, celle de ses biens non vendus, on lui montra dans le lointain un ministère, une sénatorerie [1]. L'Empereur échoua. M. Ferraud était, lors de la mort du comte Chabert, un jeune homme de vingt-six ans, sans fortune, doué de formes agréables, qui avait des succès et que le faubourg Saint-Germain avait adopté comme une de ses gloires ; mais Mme la comtesse Chabert avait su tirer un si bon parti de la succession de son mari, qu'après dix-huit mois de veuvage elle possédait environ quarante mille livres de rente. Son mariage avec le jeune comte ne fut pas accepté comme une nouvelle [2] par les coteries du faubourg Saint-Germain. Heureux de ce mariage qui répondait à ses idées de fusion, Napoléon rendit à Mme Chabert la portion dont héritait le fisc dans la succession du colonel ; mais l'espérance de Napoléon fut encore trompée. Mme Ferraud n'aimait pas seulement son amant dans le jeune homme, elle avait été séduite aussi par l'idée d'entrer dans cette société dédaigneuse qui, malgré son abaissement, dominait la cour impériale. Toutes ses vani-

---

1. La Constitution de l'an X avait donné au Premier consul le droit (que conserva l'Empereur) de nommer des sénateurs et de distribuer des *sénatoreries* dotées d'une habitation et d'un revenu de 20 000 à 25 000 francs, privilèges d'autant plus alléchants que la fonction était cumulable avec d'autres fonctions publiques.

2. Il faut sans doute comprendre que le faubourg Saint-Germain, qui connaissait la liaison de la comtesse Chabert avec le jeune Ferraud, ne fut pas surpris par ce mariage.

tés étaient flattées autant que ses passions dans ce mariage. Elle allait devenir une *femme comme il faut*. Quand le faubourg Saint-Germain sut que le mariage du jeune comte n'était pas une défection, les salons s'ouvrirent à sa femme. La Restauration vint. La fortune politique du comte Ferraud ne fut pas rapide. Il comprenait les exigences de la position dans laquelle se trouvait Louis XVIII, il était du nombre des initiés qui attendaient *que l'abîme des révolutions fût fermé,* car cette phrase royale, dont se moquèrent tant les libéraux, cachait un sens politique. Néanmoins, l'ordonnance citée dans la longue phase cléricale qui commence cette histoire lui avait rendu deux forêts et une terre dont la valeur avait considérablement augmenté pendant le séquestre. En ce moment, quoique le comte Ferraud fût conseiller d'État, directeur général, il ne considérait sa position que comme le début de sa fortune politique. Préoccupé par les soins d'une ambition dévorante, il s'était attaché comme secrétaire un ancien avoué ruiné nommé Delbecq, homme plus qu'habile, qui connaissait admirablement les ressources de la chicane, et auquel il laissait la conduite de ses affaires privées. Le rusé praticien avait assez bien compris sa position chez le comte pour y être probe par spéculation. Il espérait parvenir à quelque place par le crédit de son patron, dont la fortune était l'objet de tous ses soins. Sa conduite démentait tellement sa vie antérieure qu'il passait pour un homme calomnié. Avec le tact et la finesse dont sont plus ou moins douées toutes les femmes, la comtesse, qui avait deviné son intendant, le surveillait adroitement, et savait si bien le manier, qu'elle en avait déjà tiré un très bon parti pour l'augmentation de sa fortune particulière. Elle avait su persuader à Delbecq qu'elle gouvernait M. Ferraud, et lui avait promis de le faire nommer président d'un tribunal de première instance dans l'une des plus importantes villes de France, s'il se dévouait entièrement à ses intérêts. La promesse d'une place inamovible qui lui permettrait de se marier avantageusement et de conquérir plus tard une haute position dans la carrière politique en devenant député fit de Delbecq l'âme damnée de la comtesse. Il ne lui avait laissé manquer aucune des chances favorables que les mouvements de Bourse et la hausse des propriétés présentèrent dans Paris aux gens habiles pendant les trois premières années de la Restauration. Il avait triplé les capitaux de sa protectrice, avec d'autant plus de facilité que tous les moyens avaient paru bons à la comtesse afin de rendre promptement sa fortune énorme. Elle employait les émoluments des places occupées par le comte aux dépenses de la maison, afin de pouvoir capitaliser ses revenus, et Delbecq se prêtait aux calculs de cette avarice sans chercher à s'en expliquer les motifs. Ces sortes de gens ne s'inquiètent que des secrets dont la découverte est nécessaire à leurs intérêts. D'ailleurs il en trouvait si naturellement la raison dans cette soif d'or dont sont atteintes la plupart des Parisiennes, et il fallait une si grande fortune pour appuyer les prétentions du comte Ferraud, que l'intendant croyait parfois entrevoir dans l'avidité de la comtesse un effet de son dévouement pour l'homme de qui elle était toujours éprise. La comtesse avait enseveli les secrets de sa conduite au fond de son cœur. Là étaient des secrets de vie et de mort pour elle, là était précisément le nœud de cette histoire. Au commencement de l'année 1818, la Restauration fut assise sur des bases en apparence inébranlables, ses doctrines gouvernementales, comprises par les esprits élevés, leur parurent devoir amener pour la France une ère de prospérité nouvelle, alors la société parisienne changea de face. Mme la comtesse Ferraud se trouva par hasard avoir fait tout ensemble un mariage d'amour, de fortune et d'ambition. Encore jeune et belle, Mme Ferraud joua le rôle d'une femme à la mode, et vécut dans l'atmosphère de la cour. Riche par elle-même, riche par son mari, qui, prôné comme un des hommes les plus capables du parti royaliste et l'ami du roi, semblait promis à quelque ministère, elle appartenait à l'aristocratie, elle en partageait la splendeur. Au milieu de ce triomphe, elle fut atteinte d'un cancer moral. Il est de ces sentiments que les femmes devinent malgré le soin que [1] les hommes mettent à les enfouir. Au premier retour du roi, le comte Ferraud avait conçu quelques regrets de son mariage. La veuve du colonel Chabert ne l'avait allié à personne, il était seul et sans appui pour se diriger dans une carrière pleine d'écueils et pleine d'ennemis. Puis, peut-être, quand il avait pu juger froidement sa femme, avait-il reconnu chez elle quelques vices d'éducation qui la rendaient impropre à le seconder dans ses projets. Un mot dit par lui à propos du mariage de Talleyrand éclaira la comtesse [2], à laquelle il fut prouvé que si son mariage était à faire, jamais elle n'eût été Mme Ferraud. Ce regret, quelle femme le pardonnerait ? Ne contient-il pas toutes les injures, tous les crimes, toutes les répudiations en germe ? Mais quelle plaie ne devait pas faire ce mot dans le cœur de la comtesse, si l'on vient à supposer qu'elle craignait de voir revenir son premier mari ! Elle l'avait su vivant, elle l'avait repoussé. Puis, pendant le temps où elle n'en avait plus entendu parler, elle s'était plu à le croire mort à Waterloo avec les aigles impériales en compagnie de Boutin. Néanmoins elle conçut d'attacher le comte à elle par le plus fort des liens, par la chaîne d'or, et voulut être si riche que sa fortune rendît son second mariage indissoluble, si par hasard le comte Chabert reparaissait encore. Et il avait reparu, sans qu'elle s'expliquât pourquoi la lutte qu'elle redoutait n'avait pas déjà commencé. Les souffrances, la maladie l'avaient

---

1. Balzac a écrit : « le soin avec lequel » – nous prenons la liberté de corriger ce tour trop évidemment incorrect.

2. En 1802, Bonaparte avait en effet contraint son ministre à épouser civilement Mme Grand, une Anglaise divorcée d'une grande beauté qui était depuis longtemps sa maîtresse, et dont la sottise défraya la chronique ; Talleyrand se sépara d'elle en 1815, en même temps qu'il se mettait au service de la Restauration.

peut-être délivrée de cet homme. Peut-être était-il à moitié fou, Charenton pouvait encore lui en faire raison. Elle n'avait pas voulu mettre Delbecq ni la police dans sa confidence, de peur de se donner un maître, ou de précipiter la catastrophe. Il existe à Paris beaucoup de femmes qui, semblables à la comtesse Ferraud, vivent avec un monstre moral inconnu, ou côtoient un abîme ; elles se font un calus [1] à l'endroit de leur mal, et peuvent encore rire et s'amuser.

« Il y a quelque chose de bien singulier dans la situation de M. le comte Ferraud, se dit Derville en sortant de sa longue rêverie, au moment où son cabriolet s'arrêtait rue de Varenne [2], à la porte de l'hôtel Ferraud. Comment, lui si riche, aimé du roi, n'est-il pas encore pair de France ? Il est vrai qu'il entre peut-être dans la politique du roi, comme me le disait Mme de Grandlieu, de donner une haute importance à la pairie en ne la prodiguant pas. D'ailleurs, le fils d'un conseiller au Parlement n'est ni un Crillon, ni un Rohan. Le comte Ferraud ne peut entrer que subrepticement dans la chambre haute. Mais, si son mariage était cassé, ne pourrait-il faire passer sur sa tête, à la grande satisfaction du roi, la pairie d'un de ces vieux sénateurs qui n'ont que des filles ? Voilà certes une bonne bourde [3] à mettre en avant pour effrayer notre comtesse », se dit-il en montant le perron.

Derville avait, sans le savoir, mis le doigt sur la plaie secrète, enfoncé la main dans le cancer qui dévorait Mme Ferraud. Il fut reçu par elle dans une jolie salle à

---

1. Littéralement un « durillon » – à prendre ici au sens figuré, attesté par Littré, d'« endurcissement de cœur ».
2. Cette rue, qui commence boulevard des Invalides et s'achevait alors rue du Bac, était juste sur le bord du quartier du faubourg Saint-Germain, fief de l'aristocratie, qui commençait vraiment rue de Grenelle ; l'adresse du comte Ferraud reflète parfaitement sa situation sociale : tout près de la plus haute marche.
3. Dans le sens de « conte inventé pour abuser de la crédulité de quelqu'un » (*Larousse*).

manger d'hiver, où elle déjeunait en jouant avec un singe [1] attaché par une chaîne à une espèce de petit poteau garni de bâtons en fer. La comtesse était enveloppée dans un élégant peignoir, les boucles de ses cheveux, négligemment rattachés, s'échappaient d'un bonnet qui lui donnait un air mutin. Elle était fraîche et rieuse. L'argent, le vermeil, la nacre étincelaient sur la table, et il y avait autour d'elle des fleurs curieuses plantées dans de magnifiques vases en porcelaine. En voyant la femme du comte Chabert, riche de ses dépouilles, au sein du luxe, au faîte de la société, tandis que le malheureux vivait chez un pauvre nourrisseur au milieu des bestiaux, l'avoué se dit : « La morale de ceci est qu'une jolie femme ne voudra jamais reconnaître son mari, ni même son amant dans un homme en vieux carrick, en perruque de chiendent et en bottes percées. » Un sourire malicieux et mordant exprima les idées moitié philosophiques, moitié railleuses qui devaient venir à un homme si bien placé pour connaître le fond des choses, malgré les mensonges sous lesquels la plupart des familles parisiennes cachent leur existence.

« Bonjour, monsieur Derville, dit-elle en continuant à faire prendre du café au singe.

– Madame, dit-il brusquement, car il se choqua du ton léger avec lequel la comtesse lui avait dit "Bonjour, monsieur Derville", je viens causer avec vous d'une affaire assez grave.

– J'en suis *désespérée*, M. le comte est absent…

– J'en suis enchanté, moi, madame. Il serait *désespérant* qu'il assistât à notre conférence. Je sais d'ailleurs, par Delbecq, que vous aimez à faire vos affaires vous-même sans en ennuyer M. le comte.

– Alors, je vais faire appeler Delbecq, dit-elle.

---

1. Les singes étaient alors très à la mode, note Pierre Citron, qui cite un article de 1831 où Balzac déclare qu'à Paris « les chiens, les singes et les chevaux sont mieux traités que les humains ».

– Il vous serait inutile, malgré son habileté, reprit Derville. Écoutez, madame, un mot suffira pour vous rendre sérieuse. Le comte Chabert existe.

– Est-ce en disant de semblables bouffonneries que vous voulez me rendre sérieuse ? » dit-elle en partant d'un éclat de rire.

Mais la comtesse fut tout à coup domptée par l'étrange lucidité du regard fixe par lequel Derville l'interrogeait en paraissant lire au fond de son âme.

« Madame, répondit-il avec une gravité froide et perçante, vous ignorez l'étendue des dangers qui vous menacent. Je ne vous parlerai pas de l'incontestable authenticité des pièces, ni de la certitude des preuves qui attestent l'existence du comte Chabert. Je ne suis pas homme à me charger d'une mauvaise cause, vous le savez. Si vous vous opposez à notre inscription en faux contre l'acte de décès, vous perdrez ce premier procès, et cette question résolue en notre faveur nous fait gagner toutes les autres.

– De quoi prétendez-vous donc me parler ?

– Ni du colonel, ni de vous. Je ne vous parlerai pas non plus des mémoires que pourraient faire des avocats spirituels, armés des faits curieux de cette cause, et du parti qu'ils tireraient des lettres que vous avez reçues de votre premier mari avant la célébration de votre mariage avec votre second.

– Cela est faux ! dit-elle avec toute la violence d'une petite-maîtresse [1]. Je n'ai jamais reçu de lettre du comte Chabert ; et si quelqu'un se dit être le colonel, ce ne peut être qu'un intrigant, quelque forçat libéré, comme Coignard [2] peut-être. Le frisson prend rien que d'y penser.

---

1. Jeune élégante aux manières ridiculement prétentieuses.
2. Balzac a écrit *Cogniard*, mais nous prenons la liberté de corriger car c'est bien de Pierre Coignard, dit le comte Pontis de Sainte-Hélène, qu'il s'agit ici : ce célèbre aventurier, né vers 1779, échappé du bagne de Toulon, vécut libre pendant des années sous de fausses identités ; ayant réussi à se faire faire des papiers au nom de « comte Pontis de

Le colonel peut-il ressusciter, monsieur ? Bonaparte m'a fait complimenter [1] sur sa mort par un aide de camp, et je touche encore aujourd'hui trois mille francs de pension accordée à sa veuve par les Chambres. J'ai eu mille fois raison de repousser tous les Chabert qui sont venus, comme je repousserai tous ceux qui viendront.

– Heureusement nous sommes seuls, madame. Nous pouvons mentir à notre aise », dit-il froidement en s'amusant à aiguillonner la colère qui agitait la comtesse afin de lui arracher quelques indiscrétions, par une manœuvre familière aux avoués, habitués à rester calmes quand leurs adversaires ou leurs clients s'emportent.

« Hé bien donc, à nous deux », se dit-il à lui-même en imaginant à l'instant un piège pour lui démontrer sa faiblesse. « La preuve de la remise de la première lettre existe, madame, reprit-il à haute voix, elle contenait des valeurs...

– Oh ! pour des valeurs, elle n'en contenait pas.

– Vous avez donc reçu cette première lettre, reprit Derville en souriant. Vous êtes déjà prise dans le premier piège que vous tend un avoué, et vous croyez pouvoir lutter avec la justice... »

La comtesse rougit, pâlit, se cacha la figure dans les mains. Puis, elle secoua sa honte, et reprit avec le sang-froid naturel à ces sortes de femmes : « Puisque vous êtes l'avoué du prétendu Chabert, faites-moi le plaisir de...

– Madame, dit Derville en l'interrompant, je suis encore en ce moment votre avoué comme celui du colo-

---

Sainte-Hélène », il suivit Louis XVIII à Gand et parvint à se faire nommer lieutenant-colonel de gendarmerie sous la Restauration, alors que, dans le même temps, il était le chef d'une bande de voleurs. Reconnu par un ancien compagnon de bagne au cours d'une revue aux Tuileries, il fut condamné aux travaux forcés à perpétuité au bagne de Brest, où il mourut en 1831.

1. Adresser des paroles de civilité à quelqu'un au sujet d'un événement, heureux ou malheureux ; il s'agit évidemment ici de « compliments de condoléances » (*Littré*).

nel. Croyez-vous que je veuille perdre une clientèle aussi précieuse que l'est la vôtre ? Mais vous ne m'écoutez pas...

— Parlez, monsieur, dit-elle gracieusement.

— Votre fortune vous venait de M. le comte Chabert et vous l'avez repoussé. Votre fortune est colossale, et vous le laissez mendier. Madame, les avocats sont bien éloquents lorsque les causes sont éloquentes par elles-mêmes, il se rencontre ici des circonstances capables de soulever contre vous l'opinion publique.

— Mais, monsieur, dit la comtesse impatientée de la manière dont Derville la tournait et retournait sur le gril, en admettant que votre M. Chabert existe, les tribunaux maintiendront mon second mariage à cause des enfants, et j'en serai quitte pour rendre deux cent vingt-cinq mille francs à monsieur Chabert.

— Madame, nous ne savons pas de quel côté les tribunaux verront la question sentimentale. Si, d'une part, nous avons une mère et ses enfants, nous avons de l'autre un homme accablé de malheurs, vieilli par vous, par vos refus. Où trouvera-t-il une femme ? Puis, les juges peuvent-ils heurter la loi ? Votre mariage avec le colonel a pour lui le droit, la priorité. Mais si vous êtes représentée sous d'odieuses couleurs, vous pourriez avoir un adversaire auquel vous ne vous attendez pas. Là, madame, est ce danger dont je voudrais vous préserver.

— Un nouvel adversaire ! dit-elle, qui ?

— M. le comte Ferraud, madame.

— M. Ferraud a pour moi un trop vif attachement, et, pour la mère de ses enfants, un trop grand respect...

— Ne parlez pas de ces niaiseries-là, dit Derville en l'interrompant, à des avoués habitués à lire au fond des cœurs. En ce moment M. Ferraud n'a pas la moindre envie de rompre votre mariage et je suis persuadé qu'il vous adore ; mais si quelqu'un venait lui dire que son mariage peut être annulé, que sa femme sera traduite en criminelle au ban de l'opinion publique...

– Il me défendrait ! monsieur.

– Non, madame.

– Quelle raison aurait-il de m'abandonner, monsieur ?

– Mais celle d'épouser la fille unique d'un pair de France, dont la pairie lui serait transmise par ordonnance du roi... »

La comtesse pâlit.

« Nous y sommes ! se dit en lui-même Derville. Bien, je te tiens, l'affaire du pauvre colonel est gagnée. »

« D'ailleurs, madame, reprit-il à haute voix, il aurait d'autant moins de remords, qu'un homme couvert de gloire, général, comte, grand-officier de la Légion d'honneur, ne serait pas un pis-aller ; et si cet homme lui redemande sa femme...

– Assez ! assez ! monsieur, dit-elle. Je n'aurai jamais que vous pour avoué. Que faire ?

– Transiger ! dit Derville.

– M'aime-t-il encore ? dit-elle.

– Mais je ne crois pas qu'il puisse en être autrement. »

À ce mot, la comtesse dressa la tête. Un éclair d'espérance brilla dans ses yeux ; elle comptait peut-être spéculer sur la tendresse de son premier mari pour gagner son procès par quelque ruse de femme.

« J'attendrai vos ordres, madame, pour savoir s'il faut vous signifier nos actes, ou si vous voulez venir chez moi pour arrêter les bases d'une transaction », dit Derville en saluant la comtesse.

Huit jours [1] après les deux visites que Derville avait faites, et par une belle matinée du mois de juin, les époux, désunis par un hasard presque surnaturel, partirent des deux points les plus opposés de Paris, pour venir se rencontrer dans l'étude de leur avoué commun. Les avances qui furent largement faites par Derville au colonel Chabert lui avaient permis d'être vêtu selon son rang. Le défunt arriva donc voituré dans un cabriolet fort propre.

---

1. A. : « IV. L'hospice de la vieillesse. » (Voir *infra*, note 1, p. 121.)

Il avait la tête couverte d'une perruque appropriée à sa physionomie, il était habillé de drap bleu, avait du linge blanc, et portait sous son gilet le sautoir rouge des grands-officiers de la Légion d'honneur. En reprenant les habitudes de l'aisance, il avait retrouvé son ancienne élégance martiale. Il se tenait droit. Sa figure, grave et mystérieuse, où se peignaient le bonheur et toutes ses espérances, paraissait être rajeunie et plus grasse, pour emprunter à la peinture une de ses expressions les plus pittoresques. Il ne ressemblait pas plus au Chabert en vieux carrick, qu'un gros sou ne ressemble à une pièce de quarante francs nouvellement frappée. À le voir, les passants eussent facilement reconnu en lui l'un de ces beaux débris de notre ancienne armée, un de ces hommes héroïques sur lesquels se reflète notre gloire nationale, et qui la représentent comme un éclat de glace illuminé par le soleil semble en réfléchir tous les rayons. Ces vieux soldats sont tout ensemble des tableaux et des livres. Quand le comte descendit de sa voiture pour monter chez Derville, il sauta légèrement comme aurait pu faire un jeune homme. À peine son cabriolet avait-il retourné, qu'un joli coupé tout armorié arriva. Mme la comtesse Ferraud en sortit dans une toilette simple, mais habilement calculée pour montrer la jeunesse de sa taille. Elle avait une jolie capote doublée de rose qui encadrait parfaitement sa figure, en dissimulait les contours, et la ravivait. Si les clients s'étaient rajeunis, l'étude était restée semblable à elle-même, et offrait alors le tableau par la description duquel cette histoire a commencé. Simonnin déjeunait, l'épaule appuyée sur la fenêtre qui alors était ouverte ; et il regardait le bleu du ciel par l'ouverture de cette cour entourée de quatre corps de logis noirs.

« Ha ! s'écria le petit clerc, qui veut parier un spectacle que le colonel Chabert est général, et cordon rouge ?

– Le patron est un fameux sorcier ! dit Godeschal.

– Il n'y a donc pas de tour à lui jouer cette fois ? demanda Desroches.

– C'est sa femme qui s'en charge, la comtesse Ferraud !
dit Boucard.

– Allons, dit Godeschal, la comtesse Ferraud serait
donc obligée d'être à deux [1]...

– La voilà ! » dit Simonnin.

En ce moment, le colonel entra et demanda Derville.
« Il y est, monsieur le comte, répondit Simonnin.

– Tu n'es donc pas sourd, petit drôle ? » dit Chabert
en prenant le saute-ruisseau par l'oreille [2] et la lui tor-
tillant à la satisfaction des clercs, qui se mirent à rire et
regardèrent le colonel avec la curieuse considération due
à ce singulier personnage.

Le comte Chabert était chez Derville, au moment où
sa femme entra par la porte de l'étude.

« Dites donc, Boucard, il va se passer une singulière
scène dans le cabinet du patron ! Voilà une femme qui
peut aller les jours pairs chez le comte Ferraud et les
jours impairs chez le comte Chabert.

– Dans les années bissextiles, dit Godeschal, le compte
y sera.

– Taisez-vous donc ! messieurs, l'on peut entendre, dit
sévèrement Boucard ; je n'ai jamais vu d'étude où l'on
plaisantât, comme vous le faites, sur les clients. »

Derville avait consigné le colonel dans la chambre à
coucher, quand la comtesse se présenta.

« Madame, lui dit-il, ne sachant pas s'il vous serait
agréable de voir M. le comte Chabert, je vous ai séparés.
Si cependant vous désiriez...

---

1. À deux *maris* : c'était le titre de la nouvelle dans l'édition Béchet,
et, suggère Pierre Citron, une réminiscence possible du mélodrame
de Pixérécourt, *La Femme à deux maris*, créé en 1802 et, selon Pierre
Barbéris, repris avec succès pendant la Restauration ; mais dans cette
pièce, c'est le mari reparu qui est une canaille, alors que la femme
remariée est une sainte.

2. Comme le note Pierre Citron, Chabert (qui tient aussi un peu plus
loin une main dans son gilet) a adopté par mimétisme les gestes de son
cher Empereur.

– Monsieur, c'est une attention dont je vous remercie.

– J'ai préparé la minute d'un acte dont les conditions pourront être discutées par vous et par M. Chabert, séance tenante. J'irai alternativement de vous à lui, pour vous présenter, à l'un et à l'autre, vos raisons respectives.

– Voyons, monsieur, dit la comtesse en laissant échapper un geste d'impatience.

Derville lut.

« Entre les soussignés,

« Monsieur Hyacinthe, *dit Chabert*, comte, maréchal de camp et grand-officier de la Légion d'honneur, demeurant à Paris, rue du Petit-Banquier, d'une part ;

« Et la dame Rose Chapotel, épouse de monsieur le comte Chabert, ci-dessus nommé, née…

– Passez, dit-elle, laissons les préambules, arrivons aux conditions.

– Madame, dit l'avoué, le préambule explique succinctement la position dans laquelle vous vous trouvez l'un et l'autre. Puis, par l'article premier, vous reconnaissez, en présence de trois témoins, qui sont deux notaires et le nourrisseur chez lequel a demeuré votre mari, auxquels j'ai confié sous le secret votre affaire, et qui garderont le plus profond silence ; vous reconnaissez, dis-je, que l'individu désigné dans les actes joints au sous-seing [1], mais dont l'état se trouve d'ailleurs établi par un acte de notoriété [2] préparé chez Alexandre Crottat, votre notaire, est le comte Chabert, votre premier époux. Par l'article second, le comte Chabert, dans l'intérêt de votre bonheur, s'engage à ne faire usage de ses droits que dans les cas prévus par l'acte lui-même. Et ces cas, dit Derville en faisant une sorte de parenthèse, ne sont autres que la non-exécution des clauses de cette convention secrète. De

---

1. « Acte fait entre particuliers, sans l'intervention d'un officier public » (*Littré*).

2. Acte passé « devant notaire et où des témoins suppléent à des preuves par écrit » (*Littré*).

son côté, reprit-il, M. Chabert consent à poursuivre de gré à gré avec vous un jugement qui annulera son acte de décès et prononcera la dissolution de son mariage.

– Ça ne me convient pas du tout, dit la comtesse étonnée, je ne veux pas de procès. Vous savez pourquoi.

– Par l'article trois, dit l'avoué en continuant avec un flegme imperturbable, vous vous engagez à constituer au nom d'Hyacinthe, comte Chabert, une rente viagère de vingt-quatre mille francs, inscrite sur le grand-livre de la dette publique, mais dont le capital vous sera dévolu à sa mort...

– Mais c'est beaucoup trop cher, dit la comtesse.

– Pouvez-vous transiger à meilleur marché ?

– Peut-être.

– Que voulez-vous donc, madame ?

– Je veux, je ne veux pas de procès, je veux...

– Qu'il reste mort, dit vivement Derville en l'interrompant.

– Monsieur, dit la comtesse, s'il faut vingt-quatre mille livres de rente, nous plaiderons...

– Oui, nous plaiderons, s'écria d'une voix sourde le colonel qui ouvrit la porte et apparut tout à coup devant sa femme, en tenant une main dans son gilet et l'autre étendue vers le parquet, geste auquel le souvenir de son aventure donnait une horrible énergie.

– C'est lui, se dit en elle-même la comtesse.

– Trop cher ! reprit le vieux soldat. Je vous ai donné près d'un million, et vous marchandez mon malheur. Hé bien, je vous veux maintenant vous et votre fortune. Nous sommes communs en biens, notre mariage n'a pas cessé...

– Mais monsieur n'est pas le colonel Chabert, s'écria la comtesse en feignant la surprise.

– Ah ! dit le vieillard d'un ton profondément ironique,

voulez-vous des preuves ? Je vous ai prise au Palais-Royal [1]... »

La comtesse pâlit. En la voyant pâlir sous son rouge, le vieux soldat, touché de la vive souffrance qu'il imposait à une femme jadis aimée avec ardeur, s'arrêta ; mais il en reçut un regard si venimeux qu'il reprit tout à coup : « Vous étiez chez la...

– De grâce, monsieur, dit la comtesse à l'avoué, trouvez bon que je quitte la place. Je ne suis pas venue ici pour entendre de semblables horreurs. »

Elle se leva et sortit. Derville s'élança dans l'étude. La comtesse avait trouvé des ailes et s'était comme envolée. En revenant dans son cabinet, l'avoué trouva le colonel dans un violent accès de rage, et se promenant à grands pas.

« Dans ce temps-là chacun prenait sa femme où il voulait, disait-il ; mais j'ai eu tort de la mal choisir, de me fier à des apparences. Elle n'a pas de cœur.

– Eh bien, colonel, n'avais-je pas raison en vous priant de ne pas venir ? Je suis maintenant certain de votre identité. Quand vous vous êtes montré, la comtesse a fait un mouvement dont la pensée n'était pas équivoque. Mais vous avez perdu votre procès, votre femme sait que vous êtes méconnaissable !

– Je la tuerai...

– Folie ! vous serez pris et guillotiné comme un misérable. D'ailleurs peut-être manquerez-vous votre coup ! ce serait impardonnable, on ne doit jamais manquer sa femme quand on veut la tuer. Laissez-moi réparer vos sottises, grand enfant ! Allez-vous-en. Prenez garde à vous, elle serait capable de vous faire tomber dans quelque piège et de vous enfermer à Charenton. Je vais

---

1. Dès avant la Révolution, le Palais-Royal était le lieu de tous les plaisirs et de tous les commerces ; sous le Directoire et le Consulat, ses Galeries de Bois furent notoirement le rendez-vous des filles galantes. Les tripots du Palais-Royal ne furent fermés que sous Louis-Philippe.

lui signifier nos actes afin de vous garantir de toute surprise. »

Le pauvre colonel obéit à son jeune bienfaiteur, et sortit en lui balbutiant des excuses. Il descendait lentement les marches de l'escalier noir, perdu dans des sombres pensées, accablé peut-être par le coup qu'il venait de recevoir, pour lui le plus cruel, le plus profondément enfoncé dans son cœur, lorsqu'il entendit, en parvenant au dernier palier, le frôlement d'une robe, et sa femme apparut.

« Venez, monsieur », lui dit-elle en lui prenant le bras par un mouvement semblable à ceux qui lui étaient familiers autrefois.

L'action de la comtesse, l'accent de sa voix redevenue gracieuse, suffirent pour calmer la colère du colonel, qui se laissa mener jusqu'à la voiture.

« Eh bien, montez donc ! » lui dit la comtesse quand le valet eut achevé de déplier le marchepied.

Et il se trouva, comme par enchantement, assis près de sa femme dans le coupé.

« Où va madame ? demanda le valet.

– À Groslay [1] », dit-elle.

Les chevaux partirent et traversèrent tout Paris.

« Monsieur ! » dit la comtesse au colonel d'un son de voix qui révélait une de ces émotions rares dans la vie, et par lesquelles tout en nous est agité.

En ces moments, cœur, fibres, nerfs, physionomie, âme et corps, tout, chaque pore même tressaille. La vie semble ne plus être en nous ; elle en sort et jaillit, elle se communique comme une contagion, se transmet par le regard, par l'accent de la voix, par le geste, en imposant notre vouloir aux autres. Le vieux soldat tressaillit en entendant ce seul mot, ce premier, ce terrible : « Monsieur ! »

---

1. Groslay, près de Montmorency, est sur la route de Beaumont-sur-Oise (décrite en détail dans *Un début dans la vie*), que Balzac emprunta souvent, et précisément au début de l'été 1818, pour aller passer les vacances à L'Isle-Adam chez l'ami de son père Villers La Faye.

Mais aussi était-ce tout à la fois un reproche, une prière, un pardon, une espérance, un désespoir, une interrogation, une réponse. Ce mot comprenait tout. Il fallait être comédienne pour jeter tant d'éloquence, tant de sentiments dans un mot. Le vrai n'est pas si complet dans son expression, il ne met pas tout en dehors, il laisse voir tout ce qui est au-dedans. Le colonel eut mille remords de ses soupçons, de ses demandes, de sa colère, et baissa les yeux pour ne pas laisser deviner son trouble.

« Monsieur, reprit la comtesse après une pause imperceptible, je vous ai bien reconnu !

– Rosine, dit le vieux soldat, ce mot contient le seul baume qui pût me faire oublier mes malheurs. »

Deux grosses larmes roulèrent toutes chaudes sur les mains de sa femme, qu'il pressa pour exprimer une tendresse paternelle.

« Monsieur, reprit-elle, comment n'avez-vous pas deviné qu'il me coûtait horriblement de paraître devant un étranger dans une position aussi fausse que l'est la mienne ! Si j'ai à rougir de ma situation, que ce ne soit au moins qu'en famille. Ce secret ne devait-il pas rester enseveli dans nos cœurs ? Vous m'absoudrez, j'espère, de mon indifférence apparente pour les malheurs d'un Chabert à l'existence duquel je ne devais pas croire. J'ai reçu vos lettres, dit-elle vivement, en lisant sur les traits de son mari l'objection qui s'y exprimait, mais elles me parvinrent treize mois après la bataille d'Eylau ; elles étaient ouvertes, salies, l'écriture en était méconnaissable, et j'ai dû croire, après avoir obtenu la signature de Napoléon sur mon nouveau contrat de mariage, qu'un adroit intrigant voulait se jouer de moi. Pour ne pas troubler le repos de M. le comte Ferraud, et ne pas altérer les liens de la famille, j'ai donc dû prendre des précautions contre un faux Chabert. N'avais-je pas raison, dites ?

– Oui, tu as eu raison, c'est moi qui suis un sot, un animal, une bête, de n'avoir pas su mieux calculer les conséquences d'une situation semblable. Mais où allons-nous ? dit le colonel en se voyant à la barrière de La Chapelle.

– À ma campagne, près de Groslay, dans la vallée de Montmorency. Là, monsieur, nous réfléchirons ensemble au parti que nous devons prendre. Je connais mes devoirs. Si je suis à vous en droit, je ne vous appartiens plus en fait. Pouvez-vous désirer que nous devenions la fable de tout Paris ? N'instruisons pas le public de cette situation qui pour moi présente un côté ridicule, et sachons garder notre dignité. Vous m'aimez encore, reprit-elle en jetant sur le colonel un regard triste et doux ; mais moi, n'ai-je pas été autorisée à former d'autres liens ? En cette singulière position, une voix secrète me dit d'espérer en votre bonté qui m'est si connue. Aurais-je donc tort en vous prenant pour seul et unique arbitre de mon sort ? Soyez juge et partie. Je me confie à la noblesse de votre caractère. Vous aurez la générosité de me pardonner les résultats de fautes innocentes. Je vous l'avouerai donc, j'aime M. Ferraud. Je me suis crue en droit de l'aimer. Je ne rougis pas de cet aveu devant vous ; s'il vous offense, il ne nous déshonore point. Je ne puis vous cacher les faits. Quand le hasard m'a laissée veuve, je n'étais pas mère. »

Le colonel fit un signe de main à sa femme, pour lui imposer silence, et ils restèrent sans proférer un seul mot pendant une demi-lieue. Chabert croyait voir les deux petits enfants devant lui.

« Rosine !

– Monsieur ?

– Les morts ont donc bien tort de revenir ?

– Oh ! monsieur, non, non ! Ne me croyez pas ingrate. Seulement, vous trouvez une amante, une mère, là où vous aviez laissé une épouse. S'il n'est plus en mon pouvoir de vous aimer, je sais tout ce que je vous dois et puis vous offrir encore toutes les affections d'une fille.

– Rosine, reprit le vieillard d'une voix douce, je n'ai plus aucun ressentiment contre toi. Nous oublierons tout, ajouta-t-il avec un de ces sourires dont la grâce est toujours le reflet d'une belle âme. Je ne suis pas assez peu délicat pour exiger les semblants de l'amour chez une femme qui n'aime plus. »

La comtesse lui lança un regard empreint d'une telle reconnaissance, que le pauvre Chabert aurait voulu rentrer dans sa fosse d'Eylau. Certains hommes ont une âme assez forte pour de tels dévouements, dont la récompense se trouve pour eux dans la certitude d'avoir fait le bonheur d'une personne aimée.

« Mon ami, nous parlerons de tout ceci plus tard et à cœur reposé », dit la comtesse.

La conversation prit un autre cours, car il était impossible de la continuer longtemps sur ce sujet. Quoique les deux époux revinssent souvent à leur situation bizarre, soit par des allusions, soit sérieusement, ils firent un charmant voyage, se rappelant les événements de leur union passée et les choses de l'Empire. La comtesse sut imprimer un charme doux à ces souvenirs, et répandit dans la conversation une teinte de mélancolie nécessaire pour y maintenir la gravité. Elle faisait revivre l'amour sans exciter aucun désir, et laissait entrevoir à son premier époux toutes les richesses morales qu'elle avait acquises, en tâchant de l'accoutumer à l'idée de restreindre son bonheur aux seules jouissances que goûte un père près d'une fille chérie. Le colonel avait connu la comtesse de l'Empire, il revoyait une comtesse de la Restauration. Enfin les deux époux arrivèrent par un chemin de traverse à un grand parc situé dans la petite vallée qui sépare les hauteurs de Margency du joli village de Groslay. La comtesse possédait là une délicieuse maison où le colonel vit, en arrivant, tous les apprêts que nécessitaient son séjour et celui de sa femme. Le malheur est une espèce de talisman dont la vertu consiste à corroborer notre constitution primitive : il augmente la défiance et la méchanceté chez certains hommes, comme il accroît la bonté de ceux qui ont un cœur excellent.

L'infortune avait rendu le colonel encore plus secourable et meilleur qu'il ne l'avait été, il pouvait donc s'initier au secret des souffrances féminines qui sont inconnues à la plupart des hommes. Néanmoins, malgré son peu de défiance, il ne put s'empêcher de dire à sa femme : « Vous étiez donc bien sûre de m'emmener ici ?

– Oui, répondit-elle, si je trouvais le colonel Chabert dans le plaideur. »

L'air de vérité qu'elle sut mettre dans cette réponse dissipa les légers soupçons que le colonel eut honte d'avoir conçus. Pendant trois jours la comtesse fut admirable près de son premier mari. Par de tendres soins et par sa constante douceur elle semblait vouloir effacer le souvenir des souffrances qu'il avait endurées, se faire pardonner les malheurs que, suivant ses aveux, elle avait innocemment causés ; elle se plaisait à déployer pour lui, tout en lui faisant apercevoir une sorte de mélancolie, les charmes auxquels elle le savait faible ; car nous sommes plus particulièrement accessibles à certaines façons, à des grâces de cœur ou d'esprit auxquelles nous ne résistons pas ; elle voulait l'intéresser à sa situation, et l'attendrir assez pour s'emparer de son esprit et disposer souverainement de lui. Décidée à tout pour arriver à ses fins, elle ne savait pas encore ce qu'elle devait faire de cet homme, mais certes elle voulait l'anéantir socialement. Le soir du troisième jour elle sentit que, malgré ses efforts, elle ne pouvait cacher les inquiétudes que lui causait le résultat de ses manœuvres. Pour se trouver un moment à l'aise, elle monta chez elle, s'assit à son secrétaire, déposa le masque de tranquillité qu'elle conservait devant le comte Chabert, comme une actrice qui, rentrant fatiguée dans sa loge après un cinquième acte pénible, tombe demi-morte et laisse dans la salle une image d'elle-même à laquelle elle ne ressemble plus. Elle se mit à finir une lettre commencée qu'elle écrivait à Delbecq, à qui elle disait d'aller, en son nom, demander chez Derville communication des actes qui concernaient le colonel Chabert, de les copier et de venir aussitôt la trouver à Groslay. À peine avait-elle achevé, qu'elle entendit dans le corridor le bruit des pas du colonel, qui, tout inquiet, venait la retrouver.

« Hélas ! dit-elle à haute voix, je voudrais être morte ! Ma situation est intolérable…

– Eh ! bien, qu'avez-vous donc ? demanda le bonhomme.

– Rien, rien », dit-elle.

Elle se leva, laissa le colonel et descendit pour parler sans témoin à sa femme de chambre, qu'elle fit partir pour Paris, en lui recommandant de remettre elle-même à Delbecq la lettre qu'elle venait d'écrire, et de la lui rapporter aussitôt qu'il l'aurait lue. Puis la comtesse alla s'asseoir sur un banc où elle était assez en vue pour que le colonel vînt l'y trouver aussitôt qu'il le voudrait. Le colonel, qui déjà cherchait sa femme, accourut et s'assit près d'elle.

« Rosine, lui dit-il, qu'avez-vous ? »

Elle ne répondit pas. La soirée était une de ces soirées magnifiques et calmes dont les secrètes harmonies répandent, au mois de juin, tant de suavité dans les couchers du soleil. L'air était pur et le silence profond, en sorte que l'on pouvait entendre dans le lointain du parc les voix de quelques enfants qui ajoutaient une sorte de mélodie aux sublimités du paysage.

« Vous ne me répondez pas ? demanda le colonel à sa femme.

– Mon mari… », dit la comtesse, qui s'arrêta, fit un mouvement, et s'interrompit pour lui demander en rougissant : « Comment dirai-je en parlant de M. le comte Ferraud ?

– Nomme-le ton mari, ma pauvre enfant, répondit le colonel avec un accent de bonté, n'est-ce pas le père de tes enfants ?

– Eh bien, reprit-elle, si monsieur me demande ce que je suis venue faire ici, s'il apprend que je m'y suis enfermée avec un inconnu, que lui dirai-je ? Écoutez, monsieur, reprit-elle en prenant une attitude pleine de dignité, décidez de mon sort, je suis résignée à tout…

– Ma chère, dit le colonel en s'emparant des mains de sa femme, j'ai résolu de me sacrifier entièrement à votre bonheur…

– Cela est impossible, s'écria-t-elle en laissant échapper un mouvement convulsif. Songez donc que vous devriez alors renoncer à vous-même et d'une manière authentique…

– Comment, dit le colonel, ma parole ne vous suffit pas ? »

Le mot *authentique* [1] tomba sur le cœur du vieillard et y réveilla des défiances involontaires. Il jeta sur sa femme un regard qui la fit rougir, elle baissa les yeux, et il eut peur de se trouver obligé de la mépriser. La comtesse craignait d'avoir effarouché la sauvage pudeur, la probité sévère d'un homme dont le caractère généreux, les vertus primitives lui étaient connus. Quoique ces idées eussent répandu quelques nuages sur leurs fronts, la bonne harmonie se rétablit aussitôt entre eux. Voici comment. Un cri d'enfant retentit au loin.

« Jules, laissez votre sœur tranquille, s'écria la comtesse.

– Quoi ! vos enfants sont ici ? dit le colonel.

– Oui, mais je leur ai défendu de vous importuner. »

Le vieux soldat comprit la délicatesse, le tact de femme renfermé dans ce procédé si gracieux, et prit la main de la comtesse pour la baiser.

« Qu'ils viennent donc », dit-il.

La petite fille accourait pour se plaindre de son frère. « Maman !

– Maman !

---

1. *Authentique* doit être entendu ici dans son sens juridique : revêtu des formes officielles, *authentiqué*. La comtesse trahit la nature véritable de ses préoccupations, qui n'ont rien de sentimental.

– C'est lui qui...

– C'est elle... »

Les mains étaient étendues vers la mère, et les deux voix enfantines se mêlaient. Ce fut un tableau soudain et délicieux !

« Pauvres enfants ! s'écria la comtesse en ne retenant plus ses larmes, il faudra les quitter ; à qui le jugement les donnera-t-il ? On ne partage pas un cœur de mère, je les veux, moi !

– Est-ce vous qui faites pleurer maman ? dit Jules en jetant un regard de colère au colonel.

– Taisez-vous, Jules », s'écria la mère d'un air impérieux.

Les deux enfants restèrent debout et silencieux, examinant leur mère et l'étranger avec une curiosité qu'il est impossible d'exprimer par des paroles.

« Oh ! oui, reprit-elle, si l'on me sépare du comte, qu'on me laisse les enfants, et je serai soumise à tout... »

Ce fut un mot décisif qui obtint tout le succès qu'elle en avait espéré.

« Oui, s'écria le colonel comme s'il achevait une phrase mentalement commencée, je dois rentrer sous terre. Je me le suis déjà dit.

– Puis-je accepter un tel sacrifice ? répondit la comtesse. Si quelques hommes sont morts pour sauver l'honneur de leur maîtresse, ils n'ont donné leur vie qu'une fois. Mais ici vous donneriez votre vie tous les jours ! Non, non, cela est impossible. S'il ne s'agissait que de votre existence, ce ne serait rien ; mais signer que vous n'êtes pas le colonel Chabert, reconnaître que vous êtes un imposteur, donner votre honneur, commettre un mensonge à toute heure du jour, le dévouement humain ne saurait aller jusque-là. Songez donc ! Non. Sans mes pauvres enfants, je me serais déjà enfuie avec vous au bout du monde...

– Mais, reprit Chabert, est-ce que je ne puis pas vivre ici, dans votre petit pavillon, comme un de vos parents ?

Je suis usé comme un canon de rebut, il ne me faut qu'un peu de tabac et *Le Constitutionnel*[1]. »

La comtesse fondit en larmes. Il y eut entre la comtesse Ferraud et le colonel Chabert un combat de générosité d'où le soldat sortit vainqueur. Un soir, en voyant cette mère au milieu de ses enfants, le soldat fut séduit par les touchantes grâces d'un tableau de famille, à la campagne, dans l'ombre et le silence ; il prit la résolution de rester mort, et, ne s'effrayant plus de l'authenticité d'un acte, il demanda comment il fallait s'y prendre pour assurer irrévocablement le bonheur de cette famille.

« Faites comme vous voudrez ! lui répondit la comtesse, je vous déclare que je ne me mêlerai en rien de cette affaire. Je ne le dois pas. »

Delbecq était arrivé depuis quelques jours, et, suivant les instructions verbales de la comtesse, l'intendant avait su gagner la confiance du vieux militaire. Le lendemain matin donc, le colonel Chabert partit avec l'ancien avoué pour Saint-Leu-Taverny[2], où Delbecq avait fait préparer chez le notaire un acte conçu en termes si crus que le colonel sortit brusquement de l'étude après en avoir entendu la lecture.

« Mille tonnerres ! je serais un joli coco ! Mais je passerais pour un faussaire, s'écria-t-il.

– Monsieur, lui dit Delbecq, je ne vous conseille pas de signer trop vite. À votre place je tirerais au moins trente mille livres de rente de ce procès-là, car madame les donnerait. »

Après avoir foudroyé ce coquin émérite par le lumineux regard de l'honnête homme indigné, le colonel s'enfuit emporté par mille sentiments contraires. Il rede-

---

1. Journal libéral et anticlérical fondé en 1815, et qui ralliait l'opinion bonapartiste. Pierre Citron fait remarquer qu'en réaménageant la chronologie du roman pour l'harmoniser avec celle de *La Comédie humaine*, Balzac a oublié que *Le Constitutionnel* avait été supprimé en juillet 1817, et qu'il ne reparut sous ce titre qu'en mai 1819.

2. À 10 km au nord-ouest de Groslay.

vint défiant, s'indigna, se calma tour à tour. Enfin il entra dans le parc de Groslay par la brèche d'un mur, et vint à pas lents se reposer et réfléchir à son aise dans un cabinet pratiqué sous un kiosque d'où l'on découvrait le chemin de Saint-Leu. L'allée étant sablée avec cette espèce de terre jaunâtre par laquelle on remplace le gravier de rivière, la comtesse, qui était assise dans le petit salon de cette espèce de pavillon, n'entendit pas le colonel, car elle était trop préoccupée du succès de son affaire pour prêter la moindre attention au léger bruit que fit son mari. Le vieux soldat n'aperçut pas non plus sa femme au-dessus de lui dans le petit pavillon.

« Hé bien, monsieur Delbecq, a-t-il signé ? demanda la comtesse à son intendant qu'elle vit seul sur le chemin par-dessus la haie d'un saut-de-loup [1].

– Non, madame. Je ne sais même pas ce que notre homme est devenu. Le vieux cheval s'est cabré.

– Il faudra donc finir par le mettre à Charenton, dit-elle, puisque nous le tenons. »

Le colonel, qui retrouva l'élasticité de la jeunesse pour franchir le saut-de-loup, fut en un clin d'œil devant l'intendant, auquel il appliqua la plus belle paire de soufflets qui jamais ait été reçue sur deux joues de procureur.

« Ajoute que les vieux chevaux savent ruer », lui dit-il.

Cette colère dissipée, le colonel ne se sentit plus la force de sauter le fossé. La vérité s'était montrée dans sa nudité. Le mot de la comtesse et la réponse de Delbecq avaient dévoilé le complot dont il allait être la victime. Les soins qui lui avaient été prodigués étaient une amorce pour le prendre dans un piège. Ce mot fut comme une goutte de quelque poison subtil qui détermina chez le vieux soldat le retour de ses douleurs et physiques et morales. Il revint vers le kiosque par la porte du parc, en marchant lentement, comme un homme affaissé. Donc,

---

1. « Fossé assez large qu'on ouvre au bout des allées d'un parc pour les fermer sans ôter la vue de la campagne » (*Littré*).

ni paix ni trêve pour lui ! Dès ce moment il fallait commencer avec cette femme la guerre odieuse dont lui avait parlé Derville, entrer dans une vie de procès, se nourrir de fiel, boire chaque matin un calice d'amertume. Puis, pensée affreuse, où trouver l'argent nécessaire pour payer les frais des premières instances ? Il lui prit un si grand dégoût de la vie, que s'il y avait eu de l'eau près de lui il s'y serait jeté, que s'il avait eu des pistolets il se serait brûlé la cervelle. Puis il retomba dans l'incertitude d'idées, qui, depuis sa conversation avec Derville chez le nourrisseur, avait changé son moral. Enfin, arrivé devant le kiosque, il monta dans le cabinet aérien dont les rosaces de verre offraient la vue de chacune des ravissantes perspectives de la vallée, et où il trouva sa femme assise sur une chaise. La comtesse examinait le paysage et gardait une contenance pleine de calme en montrant cette impénétrable physionomie que savent prendre les femmes déterminées à tout. Elle s'essuya les yeux comme si elle eût versé des pleurs, et joua par un geste distrait avec le long ruban rose de sa ceinture. Néanmoins, malgré son assurance apparente, elle ne put s'empêcher de frissonner en voyant devant elle son vénérable bienfaiteur, debout, les bras croisés, la figure pâle, le front sévère.

« Madame, dit-il après l'avoir regardée fixement pendant un moment et l'avoir forcée à rougir, madame, je ne vous maudis pas, je vous méprise. Maintenant, je remercie le hasard qui nous a désunis. Je ne sens même pas un désir de vengeance, je ne vous aime plus. Je ne veux rien de vous. Vivez tranquille sur la foi de ma parole, elle vaut mieux que les griffonnages de tous les notaires de Paris. Je ne réclamerai jamais le nom que j'ai peut-être illustré. Je ne suis plus qu'un pauvre diable nommé Hyacinthe, qui ne demande que sa place au soleil. Adieu... »

La comtesse se jeta aux pieds du colonel, et voulut le retenir en lui prenant les mains ; mais il la repoussa avec dégoût, en lui disant : « Ne me touchez pas. »

La comtesse fit un geste intraduisible lorsqu'elle entendit le bruit des pas de son mari. Puis, avec la profonde perspicacité que donne une haute scélératesse ou le féroce égoïsme du monde, elle crut pouvoir vivre en paix sur la promesse et le mépris de ce loyal soldat.

Chabert disparut en effet. Le nourrisseur fit faillite et devint cocher de cabriolet. Peut-être le colonel s'adonnat-il d'abord à quelque industrie du même genre. Peut-être, semblable à une pierre lancée dans un gouffre, alla-t-il, de cascade en cascade, s'abîmer dans cette boue de haillons qui foisonne à travers les rues de Paris.

Six mois après cet événement [1], Derville, qui n'entendait plus parler ni du colonel Chabert ni de la comtesse Ferraud, pensa qu'il était survenu sans doute entre eux une transaction, que, par vengeance, la comtesse avait fait dresser dans une autre étude. Alors, un matin, il supputa les sommes avancées audit Chabert, y ajouta les frais, et pria la comtesse Ferraud de réclamer à monsieur le comte Chabert le montant de ce mémoire, en présumant qu'elle savait où se trouvait son premier mari.

Le lendemain même l'intendant du comte Ferraud, récemment nommé président du tribunal de première instance dans une ville importante, écrivit à Derville ce mot désolant :

« Monsieur,
« Mme la comtesse Ferraud me charge de vous prévenir que votre client avait complètement abusé de votre confiance, et que l'individu qui disait être le comte Chabert a reconnu avoir indûment pris de fausses qualités.
« Agréez, etc.

« Delbecq. »

« On rencontre des gens qui sont aussi, ma parole d'honneur, par trop bêtes. Ils ont volé le baptême, s'écria

---

1. B. : « L'hospice de la vieillesse. » (Voir *supra*, note 1, p. 104, et *infra*, note 3, p. 125.)

Derville. Soyez donc humain, généreux, philanthrope et avoué, vous vous faites enfoncer ! Voilà une affaire qui me coûte plus de deux billets de mille francs. »

Quelque temps après la réception de cette lettre, Derville cherchait au Palais un avocat auquel il voulait parler, et qui plaidait à la Police correctionnelle. Le hasard voulut que Derville entrât à la Sixième Chambre au moment où le président condamnait comme vagabond le nommé Hyacinthe à deux mois de prison, et ordonnait qu'il fût ensuite conduit au dépôt de mendicité [1] de Saint-Denis, sentence qui, d'après la jurisprudence des préfets de police, équivaut à une détention perpétuelle. Au nom d'Hyacinthe, Derville regarda le délinquant assis entre deux gendarmes sur le banc des prévenus, et reconnut, dans la personne du condamné, son faux colonel Chabert. Le vieux soldat était calme, immobile, presque distrait. Malgré ses haillons, malgré la misère empreinte sur sa physionomie, elle déposait [2] d'une noble fierté. Son regard avait une expression de stoïcisme qu'un magistrat n'aurait pas dû méconnaître ; mais, dès qu'un homme tombe entre les mains de la justice, il n'est plus qu'un être moral, une question de Droit ou de Fait, comme aux yeux des statisticiens il devient un chiffre. Quand le soldat fut reconduit au Greffe pour être emmené plus tard avec la fournée de vagabonds que l'on jugeait en ce moment, Derville usa du droit qu'ont les avoués d'entrer partout au Palais, l'accompagna au Greffe et l'y contempla pendant quelques instants, ainsi que les curieux mendiants parmi lesquels il se trouvait. L'antichambre du Greffe offrait alors un de ces spectacles que malheureuse-

---

1. Les *dépôts de mendicité* furent institués sous Louis XV, en 1764 : ces maisons de force avaient vocation à interner les indigents, les infirmes, les vieillards, les prostituées, mais aussi les vénériens et les aliénés ; les mendiants valides étaient contraints au travail dans les manufactures des dépôts. Sous l'Empire, le décret du 5 juillet 1808 institua un dépôt de mendicité dans chaque département.

2. Au sens de *témoigner* : « cela dépose en votre faveur » (*Littré*).

ment ni les législateurs, ni les philanthropes, ni les peintres, ni les écrivains ne viennent étudier. Comme tous les laboratoires de la chicane, cette antichambre est une pièce obscure et puante, dont les murs sont garnis d'une banquette en bois noirci par le séjour perpétuel des malheureux qui viennent à ce rendez-vous de toutes les misères sociales, et auquel pas un d'eux ne manque. Un poète dirait que le jour a honte d'éclairer ce terrible égout par lequel passent tant d'infortunes ! Il n'est pas une seule place où ne se soit assis quelque crime en germe ou consommé ; pas un seul endroit où ne se soit rencontré quelque homme qui, désespéré par la légère flétrissure que la justice avait imprimée à sa première faute, n'ait commencé une existence au bout de laquelle devait se dresser la guillotine, ou détoner le pistolet du suicide. Tous ceux qui tombent sur le pavé de Paris rebondissent contre ces murailles jaunâtres, sur lesquelles un philanthrope qui ne serait pas un spéculateur pourrait déchiffrer la justification des nombreux suicides dont se plaignent des écrivains hypocrites[1], incapables de faire un pas pour les prévenir, et qui se trouve écrite dans cette antichambre, espèce de préface pour les drames de la Morgue ou pour ceux de la place de Grève[2]. En ce moment le colonel Chabert s'assit au milieu de ces hommes à faces énergiques, vêtus des horribles livrées de la misère, silencieux par intervalles, ou causant à voix basse, car trois gendarmes de faction se promenaient en faisant retentir leurs sabres sur le plancher.

1. Pierre Citron suggère que l'attaque est probablement dirigée contre Théodore Muret qui, le 15 janvier 1835, avait publié un article venimeux contre Balzac, et, en février, un mauvais roman à thèse contre le suicide, *Georges ou Un entre mille*. En février de cette même année 1835, le célèbre *Chatterton* de Vigny était représenté au Français.
2. On appelait encore ainsi cette très vieille place, pourtant rebaptisée place de l'Hôtel-de-Ville en 1806, où de 1310 à 1830 eurent lieu les exécutions publiques.

« Me reconnaissez-vous ? dit Derville au vieux soldat en se plaçant devant lui.

– Oui, monsieur, répondit Chabert en se levant.

– Si vous êtes un honnête homme, reprit Derville à voix basse, comment avez-vous pu rester mon débiteur ? »

Le vieux soldat rougit comme aurait pu le faire une jeune fille accusée par sa mère d'un amour clandestin.

« Quoi ! Mme Ferraud ne vous a pas payé ? s'écria-t-il à haute voix.

– Payé ! dit Derville. Elle m'a écrit que vous étiez un intrigant. »

Le colonel leva les yeux par un sublime mouvement d'horreur et d'imprécation, comme pour en appeler au ciel de cette tromperie nouvelle.

« Monsieur, dit-il d'une voix calme à force d'altération, obtenez des gendarmes la faveur de me laisser entrer au Greffe, je vais vous signer un mandat qui sera certainement acquitté. »

Sur un mot dit par Derville au brigadier, il lui fut permis d'emmener son client dans le Greffe, où Hyacinthe écrivit quelques lignes adressées à la comtesse Ferraud.

« Envoyez cela chez elle, dit le soldat, et vous serez remboursé de vos frais et de vos avances. Croyez, monsieur, que si je ne vous ai pas témoigné la reconnaissance que je vous dois pour vos bons offices, elle n'en est pas moins là, dit-il en se mettant la main sur le cœur. Oui, elle est là, pleine et entière. Mais que peuvent les malheureux ? Ils aiment, voilà tout.

– Comment, lui dit Derville, n'avez-vous pas stipulé pour vous quelque rente ?

– Ne me parlez pas de cela ! répondit le vieux militaire. Vous ne pouvez pas savoir jusqu'où va mon mépris pour cette vie extérieure à laquelle tiennent la plupart des hommes. J'ai subitement été pris d'une maladie, le dégoût de l'humanité. Quand je pense que Napoléon est à Sainte-Hélène, tout ici-bas m'est indifférent. Je ne puis plus être soldat, voilà tout mon malheur. Enfin, ajouta-t-il en faisant un geste plein d'enfantillage, il vaut mieux avoir du luxe dans ses sentiments que sur ses habits. Je ne crains, moi, le mépris de personne. »

Et le colonel alla se remettre sur son banc. Derville sortit. Quand il revint à son étude, il envoya Godeschal, alors son second clerc, chez la comtesse Ferraud, qui, à la lecture du billet, fit immédiatement payer la somme due à l'avoué du comte Chabert.

En 1840, vers la fin du mois de juin [1], Godeschal, alors avoué, allait à Ris [2], en compagnie de Derville son prédécesseur. Lorsqu'ils parvinrent à l'avenue qui conduit de la grande route à Bicêtre, ils aperçurent sous un des ormes du chemin un de ces vieux pauvres chenus et cassés qui ont obtenu le bâton de maréchal des mendiants en vivant à Bicêtre [3] comme les femmes indigentes vivent à la Salpêtrière. Cet homme, l'un des deux mille malheureux logés dans l'*Hospice de la Vieillesse*, était assis sur une borne et paraissait concentrer toute son intelligence dans une opération bien connue des invalides, et qui consiste à faire sécher au soleil le tabac de leurs mouchoirs, pour éviter de les blanchir, peut-être. Ce vieillard avait une physionomie attachante. Il était vêtu de cette robe de drap rougeâtre que l'Hospice accorde à ses hôtes, espèce de livrée horrible.

« Tenez, Derville, dit Godeschal à son compagnon de voyage, voyez donc ce vieux. Ne ressemble-t-il pas à ces

---

1. A. : « Conclusion » ; dans cette édition, l'épilogue avait lieu en 1830.

2. Près de Corbeil, au sud de Paris ; Balzac, note Pierre Citron, connaissait cette route pour être allé en 1829 rendre visite à sa sœur Laure, qui habitait Champrosay.

3. Bicêtre (pour les hommes) et la Salpêtrière (pour les femmes) sont deux annexes de l'Hôpital général. Comme les dépôts de mendicité, ces hospices renfermaient une population composite heureusement séparée par catégories à partir de 1836 : une majorité d'indigents et de vieillards, des infirmes, des incurables, des vénériens, des criminels et des aliénés.

grotesques qui nous viennent d'Allemagne [1] ? Et cela vit, et cela est heureux peut-être ! »

Derville prit son lorgnon, regarda le pauvre, laissa échapper un mouvement de surprise et dit : « Ce vieux-là, mon cher, est tout un poème, ou, comme disent les romantiques, un drame. As-tu rencontré quelquefois la comtesse Ferraud ?

– Oui, c'est une femme d'esprit et très agréable ; mais un peu trop dévote, dit Godeschal.

– Ce vieux bicêtrien est son mari légitime, le comte Chabert, l'ancien colonel, elle l'aura sans doute fait placer là. S'il est dans cet hospice au lieu d'habiter un hôtel, c'est uniquement pour avoir rappelé à la jolie comtesse Ferraud qu'il l'avait prise, comme un fiacre, sur la place. Je me souviens encore du regard de tigre qu'elle lui jeta dans ce moment-là. »

Ce début ayant excité la curiosité de Godeschal [2], Derville lui raconta l'histoire qui précède. Deux jours après, le lundi matin, en revenant à Paris, les deux amis jetèrent un coup d'œil sur Bicêtre, et Derville proposa d'aller voir le colonel Chabert. À moitié chemin de l'avenue, les deux amis trouvèrent assis sur la souche d'un arbre abattu le vieillard qui tenait à la main un bâton et s'amusait à tracer des raies sur le sable. En le regardant attentive-

---

1. Nous pensons avec Pierre Barbéris que Balzac fait ici allusion aux personnages fantastiques des contes d'Hoffmann (publiés en volume en français entre 1830 et 1832), et l'on songe à cet autre « glorieux débris de l'Empire » que sera le cousin Pons et à son ami Schmucke, surnommés « les deux Casse-noisettes ».

2. Mais Godeschal connaît très bien toute l'histoire ! s'écrie Pierre Barbéris qui voit là une incohérence qui aurait échappé à l'attention de Balzac lorsque celui-ci, pour l'édition Furne, décida de désigner le compagnon de Derville en visite à Bicêtre, jusque-là anonyme, sous le nom de Godeschal. Mais il n'est pas du tout certain que Derville ait en 1818 raconté dans le détail à son troisième clerc tout ce qui s'était dit nuitamment dans le secret de sa salle à manger.

ment, ils s'aperçurent qu'il venait de déjeuner autre part qu'à l'établissement [1].

« Bonjour, colonel Chabert, lui dit Derville.

— Pas Chabert ! pas Chabert ! Je me nomme Hyacinthe, répondit le vieillard. Je ne suis plus un homme, je suis le numéro 164, septième salle », ajouta-t-il en regardant Derville avec une anxiété peureuse, avec une crainte de vieillard et d'enfant. « Vous allez voir le condamné à mort ? dit-il après un moment de silence. Il n'est pas marié, lui ! Il est bien heureux.

— Pauvre homme, dit Godeschal. Voulez-vous de l'argent pour acheter du tabac ? »

Avec toute la naïveté d'un gamin de Paris, le colonel tendit avidement la main à chacun des deux inconnus qui lui donnèrent une pièce de vingt francs ; il les remercia par un regard stupide, en disant : « Braves troupiers ! » Il se mit au port d'armes, feignit de les coucher en joue, et s'écria en souriant : « Feu des deux pièces ! vive Napoléon ! » Et il décrivit en l'air avec sa canne une arabesque imaginaire.

« Le genre de sa blessure l'aura fait tomber en enfance, dit Derville.

— Lui en enfance ! s'écria un vieux bicêtrien qui les regardait. Ah ! il y a des jours où il ne faut pas lui marcher sur le pied. C'est un vieux malin plein de philosophie et d'imagination. Mais aujourd'hui, que voulez-vous ? Il a fait le lundi. Monsieur, en 1820 il était déjà ici. Pour lors, un officier prussien, dont la calèche montait la côte de Villejuif, vint à passer à pied. Nous étions, nous deux Hyacinthe et moi, sur le bord de la route. Cet officier causait en marchant avec un autre, avec un Russe [2],

---

1. Manière de dire qu'il est ivre ; on lit aussi plus loin qu'il a « fait le lundi », c'est-à-dire qu'il s'est enivré comme les ouvriers lorsqu'ils ne travaillent pas le lundi.

2. Pierre Citron a noté que cette rencontre, datée de 1818 dans les premiers états du texte, était moins vraisemblable située en 1820 : les troupes d'occupation avaient entièrement évacué le territoire français depuis le 30 novembre 1818.

ou quelque animal de la même espèce, lorsqu'en voyant l'ancien, le Prussien, histoire de blaguer, lui dit : "Voilà un vieux voltigeur qui devait être à Rossbach. – J'étais trop jeune pour y être, lui répondit-il, mais j'ai été assez vieux pour me trouver à Iéna [1]." Pour lors le Prussien a filé, sans faire d'autres questions.

– Quelle destinée ! s'écria Derville. Sorti de l'hospice des *Enfants trouvés*, il revient mourir à l'hospice de la *Vieillesse*, après avoir, dans l'intervalle, aidé Napoléon à conquérir l'Égypte et l'Europe [2]. Savez-vous, mon cher, reprit Derville après une pause, qu'il existe dans notre société trois hommes, le Prêtre, le Médecin et l'Homme de justice, qui ne peuvent pas estimer le monde ? Ils ont des robes noires, peut-être parce qu'ils portent le deuil de toutes les vertus, de toutes les illusions. Le plus malheureux des trois est l'avoué. Quand l'homme vient trouver le prêtre, il arrive poussé par le repentir, par le remords, par des croyances qui le rendent intéressant, qui le grandissent, et consolent l'âme du médiateur, dont la tâche ne va pas sans une sorte de jouissance : il purifie, il répare, et réconcilie. Mais, nous autres avoués, nous voyons se répéter les mêmes sentiments mauvais, rien ne les corrige, nos études sont des égouts qu'on ne peut pas curer. Combien de choses n'ai-je pas apprises en exerçant ma charge ! J'ai vu mourir un père dans un grenier, sans sou ni maille, abandonné par deux filles auxquelles il avait donné quarante

---

1. Lors de la guerre de Sept Ans (1756-1763), les Prussiens de Frédéric II remportèrent à Rossbach (1757) une écrasante victoire contre les troupes françaises commandées par Soubise : mais le 14 octobre 1806, Iéna fut le théâtre d'une déroute totale des Prussiens devant la Grande Armée de Napoléon.

2. Ici s'achevait le texte publié dans *L'Artiste*. Le passage qui va de « Le plus malheureux des trois » à « curer » est un ajout de l'édition Furne ; le passage qui va de « J'ai vu mourir un père » à « horreur » est un ajout de l'édition Béchet ; la toute dernière phrase est un ajout du Furne corrigé.

© Roger Viollet

Quelle destinée ! s'écria Derville. Sorti de l'hospice des Enfants-Trouvés, il revient... — PAGE 16.

mille livres de rente [1] ! J'ai vu brûler des testaments [2] ; j'ai vu des mères dépouillant leurs enfants, des maris volant leurs femmes, des femmes tuant leurs maris en se servant de l'amour qu'elles leur inspiraient pour les rendre fous ou imbéciles, afin de vivre en paix avec un amant. J'ai vu des femmes donnant à l'enfant d'un premier lit des goûts qui devaient amener sa mort, afin d'enrichir l'enfant de l'amour. Je ne puis vous dire tout ce que j'ai vu, car j'ai vu des crimes contre lesquels la justice est impuissante. Enfin, toutes les horreurs que les romanciers croient inventer sont toujours au-dessous de la vérité. Vous allez connaître ces jolies choses-là, vous ; moi, je vais vivre à la campagne avec ma femme, Paris me fait horreur [3]. – J'en ai déjà bien vu chez Desroches [4] », répondit Godeschal.

Paris, février-mars 1832.

---

1. Allusion au *Père Goriot*.

2. Allusion à la tentative de Mme de Restaud de brûler le testament de son mari afin de dépouiller ses enfants dans *Gobseck*.

3. Pierre Citron fait justement remarquer que dans *Les Dangers de l'inconduite* (futur *Gobseck*), le personnage qui deviendra Derville, écœuré par l'usurier, déclarait déjà : « La vie, les hommes me faisaient horreur. »

4. Desroches s'est en effet établi comme avoué en 1822 (*Un début dans la vie*) et Godeschal était alors son premier clerc.

DOSSIER

En 1835, lorsque *Le Colonel Chabert* trouve sa forme définitive, cela fait quelques mois que Balzac a eu, en écrivant *Le Père Goriot* à l'automne 1834, une idée de génie : faire reparaître ses personnages d'un roman à l'autre. Mais il n'a pas encore fait le choix de donner pour titre général à l'ensemble de son œuvre *La Comédie humaine* – ce sera en 1841. En 1833 et 1834 toutefois, il a d'ores et déjà signé deux contrats, avec deux éditeurs différents, pour publier sous la forme de deux grands ensembles ses livres déjà écrits et ceux qu'il projette d'écrire : les *Études philosophiques* d'un côté, et de l'autre les *Études de mœurs au XIXᵉ siècle*, elles-mêmes subdivisées en six séries : *Scènes de la vie privée*, *Scènes de la vie de province*, *Scènes de la vie parisienne*, *Scènes de la vie politique*, *Scènes de la vie militaire*, *Scènes de la vie de campagne*. Encore timide, il songe alors à solliciter une personnalité prestigieuse pour préfacer son travail : une note de 1832 montre qu'il a envisagé de demander une introduction générale aux *Études de mœurs* à George Sand.

Qui mieux que lui, pourtant, sait ce qu'il a en tête ? Finalement, au printemps 1834, c'est à Félix Davin, un jeune camarade écrivain – disparu prématurément peu après –, qu'il confie la tâche d'être son porte-parole, tant pour les *Études philosophiques* que pour les *Études de mœurs*. La force de la pensée, le désir d'exactitude l'emportent sur la tentation de se placer sous la protection d'une préfacière célèbre. Félix Davin travaille sous l'étroite surveillance de Balzac, qui lui dicte ses idées, exige de lui l'expression précise de sa pensée, et ajoute lui-même de longs passages. Publié en 1835, le texte définitif de l'introduction aux *Études de mœurs*, s'il est bel et bien signé « Félix Davin », est en fait largement l'œuvre de Balzac. Et celui-ci s'en resservira largement aussi pour écrire, en 1842, le grand « Avant-propos » à *La Comédie humaine*.

« IL FAUT ÊTRE UN SYSTÈME »

Ce qui compte pour Balzac, ce n'est pas seulement de peindre toutes les facettes de la société de son temps, d'écrire le « roman historique » de son époque à la manière si vivante du romancier écossais Walter Scott (1771-1832) – qu'il admire et a beaucoup imité dans ses romans de jeunesse –, c'est de coordonner l'ensemble de ces peintures pour faire de chacun de ses romans un chapitre d'une œuvre plus vaste :

> Les *Études de mœurs* auraient été des espèces de *Mille et Une Nuits*, de *Mille et Un Jours*, de *Mille et Un Quarts d'heure*, enfin une durable collection de contes, de nouvelles, de récits comme il en existe déjà, sans la pensée qui en unit toutes les parties les unes aux autres, sans la vaste trilogie que formeront les trois parties de l'œuvre complète. Nous devons l'unité de cette œuvre à une réflexion que M. de Balzac fit de bonne heure sur l'ensemble des œuvres de Walter Scott. Il nous la disait à nous-même, en nous donnant des conseils sur le sens général qu'un écrivain serait tenu de faire exprimer à ses travaux pour subsister dans la Langue. – « Il ne suffit pas d'être un homme, il faut être un système, disait-il. Voltaire a été une pensée aussi bien que Marius, et il a triomphé. Quoique grand, le barde écossais n'a fait qu'exposer un certain nombre de pierres habilement sculptées, où se voient d'admirables figures, où revit le génie de chaque époque, et dont presque toutes sont sublimes ; mais où est le monument ? s'il se rencontre chez lui les séduisants effets d'une merveilleuse analyse, il y manque une synthèse. […] Le génie n'est complet que quand il joint à la faculté de créer la puissance de coordonner ses créations. Il ne suffit

pas d'observer et de peindre, il faut encore peindre et observer dans un but quelconque. Le conteur du nord avait un trop perçant coup d'œil pour que cette pensée ne lui vînt pas, mais elle lui vint certes trop tard. Si vous voulez vous implanter comme un cèdre ou comme un palmier dans notre littérature de sables mouvants, il s'agit donc d'être, dans un autre ordre d'idées, Walter Scott plus un architecte. [...] »

M. de Balzac est parti de cette observation, qu'il a souvent répétée à ses amis, pour réaliser lentement, pièce à pièce, ses *Études de mœurs* qui ne sont rien moins qu'une exacte représentation de la société dans tous ses effets. Son unité devait être le monde, l'homme n'était que le détail ; car il s'est proposé de le peindre dans toutes les situations de sa vie, de le décrire sous tous ses angles, de le saisir dans toutes ses phases, conséquent et inconséquent, ni complètement bon, ni complètement vicieux, en lutte avec les lois dans ses intérêts, en lutte avec les mœurs dans ses sentiments, logique ou grand par hasard ; de montrer la Société incessamment dissoute, incessamment recomposée, menaçante parce qu'elle est menacée ; enfin d'arriver au dessin de son ensemble en reconstruisant un à un les éléments [1].

LA PREMIÈRE LOI DE LA LITTÉRATURE

Décrire ainsi sa démarche, c'était répondre aux critiques qui, dès le début, voyant l'auteur passer d'une « scène de la vie de campagne » à une « scène de la vie parisienne », l'accusèrent de n'avoir ni logique, ni plan, ni style. Mais le reproche qui sans doute avait le plus blessé Balzac était le reproche d'immoralité. Aussi eut-il particulièrement à cœur de se défendre sur ce point en invoquant la « première loi de la littérature » : la « nécessité des contrastes », partout à l'œuvre dans ses romans,

---

1. Félix Davin, « Introduction » aux *Études de mœurs au XIXᵉ siècle*, dans Balzac, *La Comédie humaine*, Gallimard, « Bibliothèque de la Pléiade », vol. 1, 1976, p. 1151-1153.

qu'il s'agisse du vice et de la vertu, ou encore des lieux et des personnages :

En vérité, quand on parcourt les premières compositions de M. de Balzac, on se demande comment on peut le taxer d'immoralité. Des figures vicieuses se rencontrent sous ses pinceaux, il est vrai ; mais ne dirait-on pas que le Vice n'existe plus au XIXe siècle ? La critique, sous peine d'être stupide, peut-elle oublier la première loi de la littérature, ignorer la nécessité des contrastes ? Si l'auteur est tenu de peindre le vice, et il le peint poétiquement pour le faire accepter, s'il le met au ton général de ses tableaux, doit-on en tirer les conséquences injustes que certaines feuilles répètent aujourd'hui à l'unisson ? Est-il loyal d'isoler quelques parties de l'ensemble, et de porter ensuite sur l'auteur un de ces jugements spécieux qui n'abuseront jamais les gens de bonne foi ? Certes, quand un écrivain veut configurer toute une époque, quand il s'intitule l'historien des mœurs du XIXe siècle, et que le public lui confirme le titre qu'il a pris, il ne peut, quoi qu'en dise la pruderie, faire un choix entre le beau et le laid, le moral et le vicieux ; séparer l'ivraie du bon grain, les femmes amoureuses et tendres des femmes vertueuses et rigides. Il doit, sous peine d'inexactitude et de mensonge, dire tout ce qui est, montrer tout ce qu'il voit. Attendez, pour établir une balance, que l'œuvre soit achevée, et alors, quoi qu'il advienne, n'attribuez l'honneur du plus ou du moins qu'à ses modèles, à moins que ses portraits ne soient pas ressemblants, ce que personne, j'imagine, n'a trouvé jusque aujourd'hui. Si tout est vrai, ce n'est pas l'ouvrage qui peut être immoral [1].

À propos du *Colonel Chabert*

À propos de la première version du *Colonel Chabert*, qu'il vient de revoir et corriger pour la parution en volume, Balzac, par la plume de Félix Davin, poursuit :

---

1. *Ibid.*, p. 1162-1163.

Maintenant, grâce aux changements heureux que l'auteur vient de faire subir à *La Comtesse à deux maris*, qui a paru dans un journal sous le titre de *La Transaction*, cette étude est une histoire irréprochable. On y remarque un type de l'avoué que la haute comédie [1] adopterait à coup sûr, si nous avions aujourd'hui une haute comédie. La manière dont ce drame est conduit prouve avec quel éclat M. de Balzac paraîtrait au théâtre, si sa volonté n'était pas énergiquement fixée ailleurs ; Au théâtre aussi, certes, il ouvrirait une voie nouvelle ; mais il s'est imposé une tâche immense, et veut l'accomplir jusqu'au bout. Il ne peut apporter un jour à la scène que le surplus des forces exorbitantes qui font de lui le plus rude athlète de notre littérature, mais aussi le plus inoffensif des écrivains. En effet, il ne juge personne, il n'attaque ni ses contemporains, ni leurs livres ; il marche, comme l'a dit dernièrement un critique en rendant justice à son caractère, il marche seul, à l'écart, comme un paria, que la tyrannie de son talent a fait mettre au ban de la littérature. Sa conquête à lui est le vrai dans l'art. Pour arriver à cette conquête, toujours si difficile, aujourd'hui surtout que l'individualité disparaît dans les lettres comme dans les mœurs, il fallait être neuf. M. de Balzac a su l'être en ramassant tout ce que dédaignait la littérature au moment où elle faisait plus de théories que de livres. Il ne s'est jamais proclamé réformateur. Au lieu de crier sur les toits : « Ramenons l'art à la nature ! », il accomplissait laborieusement dans la solitude sa part de révolution littéraire, tandis que la plupart de nos écrivains se perdaient en des efforts infructueux, sans suite ni portée. Chez beaucoup, en effet, une nature de convention succédait au faux convenu des classiques. Ainsi, en haine des formules, des généralités et de la froide stéréotypie de l'ancienne école, ils ne s'attachaient qu'à certains détails d'individualité, à des spécialités de forme, à des originalités d'épiderme ; en un mot, c'était une exagération substituée à une autre, et toujours du système. Ou bien, pour arriver au

---

1. Davin/Balzac pense évidemment au premier chef à Molière, qu'il admire au plus haut point et à qui il fait allusion plus de deux cent cinquante fois dans *La Comédie humaine*. Les commentateurs ont souvent rapproché le personnage du colonel Chabert de celui d'Alceste dans *Le Misanthrope*.

nouveau, d'autres faisaient des passions à leur usage, ils les arrangeaient et les développaient selon les caprices de leur poétique ; s'ils évitaient le connu, ils rencontraient l'impossible. Ceux-ci partaient d'un principe vrai ; puis l'imagination les emportait sur ses ailes, et les livrait à des illusions d'optique, à des verres grossissants, à des rayonnements prismatiques. Ils empâtaient un trait d'abord pur, anéantissaient les demi-teintes, jetaient çà et là les crudités, puis l'énergie, la passion, la poésie à pleines mains et produisaient une dramatique et grandiose caricature. Ceux-là abandonnaient les individualités, combinaient des symboles, effaçaient les contours, et se perdaient dans les nuées de l'insaisissable, ou dans les puériles merveilles du pointillé. Complètement étranger à tout ce qui était coterie, convention, système, M. de Balzac introduisait dans l'art la vérité la plus naïve, la plus absolue. Observateur sagace et profond, il épiait incessamment la nature ; puis, lorsqu'il l'a eu surprise, il l'a examinée avec des précautions infinies, il l'a regardée vivre et se mouvoir ; il a suivi le travail des fluides et de la pensée ; il l'a décomposée, fibre à fibre, et n'a commencé à la reconstruire que lorsqu'il a eu deviné les plus imperceptibles mystères de sa vie organique et intellectuelle. En la recomposant par ce chaud galvanisme, par ces injections enchantées qui rendent la vie aux corps, il nous l'a montrée frémissant d'une animation nouvelle qui nous étonne et nous charme. Cette science n'excluait pas l'imagination. Aussi, loin qu'elle ait manqué à cette patiente élaboration, y a-t-elle déployé sa plus grande puissance : elle a su maîtriser ses écarts, s'asservir à ne donner aux organes de l'œuvre que la quantité de vie nécessaire : rien de moins, rien de plus. Ce travail doit être le plus difficultueux de tous, car d'ordinaire le principe vital est si mal réparti dans la foule des embryons littéraires de notre époque, que les uns ont tout dans la tête et les autres tout dans les jambes, rarement ont-ils un cœur ; tandis que chez M. de Balzac, la vie procède surtout du cœur ; il triomphe là où les autres périssent [1].

---

1. « Introduction » aux *Études de mœurs au XIXᵉ siècle*, *op. cit.*, p. 1170-1171.

Balzac ne parvint pas à réaliser tous les projets annoncés dès 1835 dans l'introduction aux *Études de mœurs au XIXᵉ siècle*. Dans *La Comédie humaine*, inachevée, peu nombreuses sont finalement les *Scènes de la vie politique*, qui devaient exprimer non plus seulement des sentiments mais des « pensées plus vastes », décrire « l'effroyable mouvement de la machine sociale, et les contrastes produits par les intérêts particuliers qui se mêlent à l'intérêt général », montrer « la pensée devenant une force organisatrice [1] ». Peu nombreuses aussi, les *Scènes de la vie militaire*, qui devaient peindre en d'« étourdissants tableaux » la vie des « masses en marche pour se combattre », les chocs entre pays, entre armées, entre convictions politiques, « la nation tantôt triomphante et tantôt vaincue [2] ». Mais, qu'il la compare à l'église de la Madeleine – alors encore en construction, sur le modèle du Parthénon d'Athènes –, ou plus tard à une cathédrale, Balzac n'a nullement prévu que les diverses parties de son œuvre, de structure en réalité plutôt pyramidale, seront de volume égal. « À mesure que l'œuvre gagne en spirales les hauteurs de la pensée, elle se resserre et se condense », écrivait-il à Mme Hanska le 26 octobre 1834. Et plus elle se resserre et se condense, plus elle est impossible à écrire. Balzac rêva toute sa vie, sans jamais y parvenir, de couronner l'édifice de sa pensée philosophique par un *Essai sur les forces humaines* – comme il rêva sa vie durant, sans jamais y parvenir non plus, d'écrire

---

1. *Ibid.*, p. 1148.
2. *Ibid.*

La Bataille, ultime scène de la vie militaire, qui raconterait une grande bataille napoléonienne.

LA BATAILLE : UN ROMAN FANTÔME

Balzac songe d'abord, entre 1825 et 1828, à mettre en scène la bataille de Marengo. Puis, au début de l'année 1830, il change d'avis et vend à un éditeur – en même temps que trois autres projets de romans historiques, qui ne furent jamais écrits non plus – un projet intitulé *La Bataille de Wagram*. « Faire un roman nommé *La Bataille*, note-t-il dans son album, où l'on entende à la première page gronder le canon et à la dernière le cri de la victoire, et pendant la lecture duquel le lecteur croie assister à une véritable bataille comme s'il la voyait du haut d'une montagne, avec tous ses accessoires, uniformes, blessés, détails. La veille de la bataille et le lendemain. Napoléon dominant tout cela. La plus poétique à faire est Wagram [...] [1]. »

En janvier 1833, alors qu'il est en train d'écrire *Le Médecin de campagne* – qui recèle la célèbre *Veillée. Histoire de Napoléon contée dans une grange par un vieux soldat*, parue séparément en juin 1833 dans la revue *L'Europe littéraire* et qui obtint un grand succès [2] –, il change une nouvelle fois de bataille. Cette fois, c'est à la *défaite* d'Essling (deux semaines avant Wagram) qu'il a l'intention de s'attaquer, ainsi qu'il l'écrit dans une lettre à Mme Hanska :

---

1. *Pensées, sujets, fragments*, éd. J. Crépet, Blaizot, 1910, p. 76. Et Balzac songe alors aussi aux conséquences politiques et romanesques de la bataille, à la paix de Vienne, aux calculs de Metternich, au mariage en secondes noces de Napoléon, divorcé de Joséphine, avec l'archiduchesse d'Autriche Marie-Louise de Habsbourg.

2. *La Comédie humaine*, Gallimard, « Bibliothèque de la Pléiade », vol. 9, 1978, p. 514-538.

Je me suis jeté dans le travail, comme Empédocle dans son volcan, pour y rester. *La Bataille* viendra après *Le Médecin de campagne*, ce livre dont je vous parle, et n'y a-t-il pas de quoi frémir si je vous dis que *La Bataille* est un livre impossible ? Là, j'entreprends de vous initier à toutes les horreurs, à toutes les beautés d'un champ de bataille ; ma bataille, c'est Essling, Essling avec toutes ses conséquences. Il faut que dans son fauteuil, un homme froid voie la campagne, les accidents de terrain, les masses d'hommes, les événements stratégiques, le Danube, les ponts, admire les détails et l'ensemble de cette lutte, entende l'artillerie, s'intéresse à ces mouvements d'échiquier, voie tout, sente dans chaque articulation de ce grand corps, Napoléon, que je ne montrerai pas ou que je laisserai voir traversant dans une barque le Danube. – Pas une tête de femme, des canons, des chevaux, des armées, des uniformes ; à la première page le canon gronde, il se tait à la dernière, vous lirez à travers la fumée, et le livre fermé, vous devez avoir tout vu intuitivement et vous rappeler la bataille comme si vous [y] aviez assisté.

Voici trois mois que je me mesure avec cette œuvre, cette ode en deux volumes, et que de toutes parts on me crie impossible [1].

En 1835, dans l'introduction aux *Études de mœurs*, le projet de *La Bataille* figure encore en bonne place parmi les *Scènes de la vie militaire* :

La Bataille, annoncée déjà plusieurs fois, et dont la publication a été retardée par des scrupules pleins de modestie, ce livre connu de quelques amis, forme un des plus grands tableaux de cette série où abondent tant d'héroïques figures, tant d'incidents dramatiques consacrés par l'histoire, et que le romancier n'aurait jamais inventés aussi beaux qu'ils le sont.

Le 31 mai 1835, comme il le souhaite depuis long-temps, Balzac visite le même jour les sites tout proches des batailles d'Essling et de Wagram – mais pour mieux

---

1. *Lettres à Mme Hanska (1832-1834)*, Robert Laffont, « Bouquins », vol. 1, 1990, p. 22.

changer d'avis et envisager, peu après, de décrire plutôt la bataille de Dresde ! Dix ans plus tard, en 1845, c'est toutefois Wagram qui reparaît dans la toute dernière liste de projets de « scènes de la vie militaire ». De tout cela il ne reste que l'en-tête du chapitre premier, intitulé « Gross-Aspern », et une demi-ligne de texte : « Le 16 mai 1809, vers le milieu de la journée... [1]. »

Le désastre de la Bérézina dans *Adieu*

S'il n'écrivit jamais *La Bataille*, roman fantôme, Balzac s'était cependant déjà essayé plusieurs fois, dans des nouvelles écrites avant *Le Colonel Chabert*, à évoquer, en de véritables morceaux de bravoure, des épisodes militaires célèbres. Dûment documenté, il avait notamment reconstitué dans la nouvelle *Adieu*, publiée pour la première fois en 1830 et qui prit place dans *La Comédie humaine* parmi les *Études philosophiques*, le désastreux passage de la Bérézina, pendant la retraite de Russie (27-29 novembre 1812). Cet épisode, qui marqua la débâcle de la Grande Armée de Napoléon Ier, vaincue par le froid autant que par les Cosaques, lui avait certainement été raconté par le capitaine Périolas.

« Philippe, où sommes-nous ? s'écria-t-elle d'une voix douce, en regardant autour d'elle.

– À cinq cents pas du pont. Nous allons passer la Bérézina. De l'autre côté de la rivière, Stéphanie, je ne vous tourmenterai plus, je vous laisserai dormir, nous serons en sûreté, nous gagnerons tranquillement Wilna. Dieu veuille que vous ne sachiez jamais ce que votre vie aura coûté !

– Tu es blessé ?

– Ce n'est rien. »

---

1. *La Comédie humaine*, Gallimard, « Bibliothèque de la Pléiade », vol. 12, 1981, p. 653.

L'heure de la catastrophe était venue. Le canon des Russes annonça le jour. Maîtres de Studzianka, ils foudroyèrent la plaine ; et aux premières lueurs du matin, le major aperçut leurs colonnes se mouvoir et se former sur les hauteurs. Un cri d'alarme s'éleva du sein de la multitude, qui fut debout en un moment. Chacun comprit instinctivement son péril, et tous se dirigèrent vers le pont par un mouvement de vague. Les Russes descendaient avec la rapidité de l'incendie. Hommes, femmes, enfants, chevaux, tout marcha sur le pont. Heureusement le major et la comtesse se trouvaient encore éloignés de la rive. Le général Éblé [1] venait de mettre le feu aux chevalets de l'autre bord. Malgré les avertissements donnés à ceux qui envahissaient cette planche de salut, personne ne voulut reculer. Non seulement le pont s'abîma chargé de monde ; mais l'impétuosité du flot d'hommes lancés vers cette fatale berge était si furieuse, qu'une masse humaine fut précipitée dans les eaux comme une avalanche. On n'entendit pas un cri, mais le bruit sourd d'une pierre qui tombe à l'eau ; puis la Bérézina fut couverte de cadavres. Le mouvement rétrograde de ceux qui se reculèrent dans la plaine pour échapper à cette mort fut si violent, et leur choc contre ceux qui marchaient en avant fut si terrible, qu'un grand nombre de gens moururent étouffés. Le comte et la comtesse de Vandières durent la vie à leur voiture. Les chevaux, après avoir écrasé, pétri une masse de mourants, périrent écrasés, foulés aux pieds par une trombe humaine qui se porta sur la rive. Le major et le grenadier trouvèrent leur salut dans leur force. Ils tuaient pour n'être pas tués. Cet ouragan de faces humaines, ce flux et reflux de corps animés par un même mouvement, eut pour résultat de laisser pendant quelques

---

1. Pour permettre à la Grande Armée de franchir la rivière Bérézina (affluent du Dniepr), le général Jean-Baptiste Éblé fit construire par ses pontonniers deux ponts formés de madriers, trop étroits pour une telle masse de soldats et sur lesquels hommes et chevaux s'engouffrèrent dans une horrible et meurtrière cohue. Au matin du 29 novembre 1812, devant l'avancée des troupes russes, ordre fut donné par l'Empereur de faire sauter les ponts. Quelques milliers de traînards restaient encore sur l'autre rive. Plutôt que de tomber entre les mains des terribles Cosaques, certains sautèrent sur les blocs de glace que charriait la rivière, tombèrent à l'eau et périrent.

moments la rive de la Bérézina déserte. La multitude s'était rejetée dans la plaine. Si quelques hommes se lancèrent à la rivière du haut de la berge, ce fut moins dans l'espoir d'atteindre l'autre rive qui, pour eux, était la France, que pour éviter les déserts de la Sibérie. Le désespoir devint une égide pour quelques gens hardis. Un officier sauta de glaçon en glaçon jusqu'à l'autre bord ; un soldat rampa miraculeusement sur un amas de cadavres et de glaçons. Cette immense population finit par comprendre que les Russes ne tueraient pas vingt mille hommes sans armes, engourdis, stupides, qui ne se défendaient pas, et chacun attendit son sort avec une horrible résignation. Alors le major, son grenadier, le vieux général et sa femme restèrent seuls, à quelques pas de l'endroit où était le pont. Ils étaient là, tous quatre debout, les yeux secs, silencieux, entourés d'une masse de morts. Quelques soldats valides, quelques officiers auxquels la circonstance rendait toute leur énergie se trouvaient avec eux. Ce groupe assez nombreux comptait environ cinquante hommes. Le major aperçut à deux cents pas de là les ruines du pont fait pour les voitures, et qui s'était brisé l'avant-veille.

« Construisons un radeau », s'écria-t-il.

À peine avait-il laissé tomber cette parole que le groupe entier courut vers ces débris. Une foule d'hommes se mit à ramasser des crampons de fer, à chercher des pièces de bois, des cordes, enfin tous les matériaux nécessaires à la construction du radeau. Une vingtaine de soldats et d'officiers armés formèrent une garde commandée par le major pour protéger les travailleurs contre les attaques désespérées que pourrait tenter la foule en devinant leur dessein. Le sentiment de la liberté qui anime les prisonniers et leur inspire des miracles ne peut pas se comparer à celui qui faisait agir en ce moment ces malheureux Français.

« Voilà les Russes ! voilà les Russes ! » criaient aux travailleurs ceux qui les défendaient.

Et les bois criaient, le plancher croissait de largeur, de hauteur, de profondeur. Généraux, soldats, colonels, tous pliaient sous le poids des roues, des fers, des cordes, des planches : c'était une image réelle de la construction de l'arche de Noé. La jeune comtesse, assise auprès de son mari, contemplait ce spectacle avec le regret de ne pouvoir contribuer en rien à ce travail ; cependant elle aidait à faire des nœuds pour consolider les cordages. Enfin, le radeau fut achevé. Quarante hommes le lancèrent dans les eaux de la rivière, tandis qu'une dizaine de soldats tenaient les cordes qui devaient servir à l'amarrer près de la berge. Aussitôt que les constructeurs virent leur embarcation flottant sur la Bérézina, ils s'y jetèrent du haut de la rive avec un horrible égoïsme. Le major, craignant la fureur de ce premier mouvement, tenait Stéphanie et le général par la main ; mais il frissonna quand il vit l'embarcation noire de monde et les hommes pressés dessus comme des spectateurs au parterre d'un théâtre.

« Sauvages ! s'écria-t-il, c'est moi qui vous ai donné l'idée de faire le radeau ; je suis votre sauveur, et vous me refusez une place. »

Une rumeur confuse servit de réponse. Les hommes placés au bord du radeau, et armés de bâtons qu'ils appuyaient sur la berge, poussaient avec violence le train de bois, pour le lancer vers l'autre bord et lui faire fendre les glaçons et les cadavres.

« Tonnerre de Dieu ! je vous *fiche* à l'eau si vous ne recevez pas le major et ses deux compagnons, s'écria le grenadier, qui leva son sabre, empêcha le départ, et fit serrer les rangs, malgré des cris horribles.

– Je vais tomber ! je tombe ! criaient ses compagnons. Partons ! en avant ! »

Le major regardait d'un œil sec sa maîtresse, qui levait les yeux au ciel par un sentiment de résignation sublime.

« Mourir avec toi ! » dit-elle.

Il y avait quelque chose de comique dans la situation des gens installés sur le radeau. Quoiqu'ils poussassent des rugissements affreux, aucun d'eux n'osait résister au grenadier ; car ils étaient si pressés, qu'il suffisait de pousser une seule personne pour tout renverser. Dans ce danger, un capitaine essaya de se débarrasser du soldat qui aperçut le mouvement hostile de l'officier, le saisit et le précipita dans l'eau en lui disant : « Ah ! ah ! canard, tu veux boire ! Va !

– Voilà deux places ! s'écria-t-il. Allons, major, jetez-nous votre petite femme et venez ! Laissez ce vieux roquentin [1] qui crèvera demain.

– Dépêchez-vous ! cria une voix composée de cent voix.

– Allons, major. Ils grognent, les autres, et ils ont raison. »

Le comte de Vandières se débarrassa de ses vêtements, et se montra debout dans son uniforme de général.

« Sauvons le comte », dit Philippe.

Stéphanie serra la main de son ami, se jeta sur lui et l'embrassa par une horrible étreinte.

« Adieu ! » dit-elle.

Ils s'étaient compris. Le comte de Vandières retrouva ses forces et sa présence d'esprit pour sauter dans l'embarcation, où Stéphanie le suivit après avoir donné un dernier regard à Philippe.

« Major, voulez-vous ma place ? Je me moque de la vie, s'écria le grenadier. Je n'ai ni femme, ni enfant, ni mère.

– Je te les confie, cria le major en désignant le comte et sa femme.

– Soyez tranquille, j'en aurai soin comme de mon œil. »

Le radeau fut lancé avec tant de violence vers la rive opposée à celle où Philippe restait immobile, qu'en touchant terre la secousse ébranla tout. Le comte, qui était au bord, roula dans la rivière. Au moment où il y tombait, un glaçon lui coupa la tête, et la lança au loin, comme un boulet.

« Hein ! major ! cria le grenadier.

– Adieu ! » cria une femme.

Philippe de Sucy tomba glacé d'horreur, accablé par le froid, par le regret et par la fatigue [2].

---

1. Vieux beau ayant encore la prétention de plaire.
2. Balzac, *Nouvelles*, éd. Philippe Berthier, GF-Flammarion, 2005, p. 112-116.

Le Passage de la Bérézina (27-29 novembre 1812)
d'après Jean Charles Langlois (1789-1870)

Guerre et littérature au XIXᵉ siècle :
Stendhal, Hugo, Maupassant

Une admiration : la bataille de Waterloo dans *La Chartreuse de Parme*

Le 27 mars 1839 paraissait en librairie le dernier roman de Stendhal, *La Chartreuse de Parme*. Stendhal voulut en faire porter un exemplaire à Balzac, en hommage « au Roi des Romanciers du présent siècle [1] », mais Balzac habitait alors rue Cassini, près de l'Observatoire, et le portier de Stendhal refusa de s'aventurer dans ces lointains parages. Stendhal écrivit donc à Balzac pour lui demander à quelle adresse « honnête », « en pays chrétien [2] », il pouvait lui faire déposer l'ouvrage.

Or Balzac avait d'ores et déjà lu, dans le supplément du journal *Le Constitutionnel* du dimanche 17 mars 1839, un extrait du roman : le fameux récit de la bataille de Waterloo qui se trouve au chapitre III. Il répondit à Stendhal :

> Monsieur, j'ai déjà lu dans *Le Constitutionnel* un article tiré de *La Chartreuse* qui m'a fait commettre le péché d'envie. Oui, j'ai été saisi d'un accès de jalousie à cette superbe et vraie description de bataille que je rêvais pour les *Scènes de la vie militaire*, la plus difficile portion de mon

---

1. Lettre de Stendhal à Balzac, 29 mars 1839, *Correspondance* de Balzac, Classiques Garnier, vol. 3, p. 582.
2. *Ibid.*, p. 583.

œuvre, et ce morceau m'a ravi, chagriné, enchanté, désespéré. Je vous le dis naïvement. C'est fait comme Borgognone [1] et Vouvermans [2], Salvator Rosa [3] et Walter Scott. Aussi ne vous étonnez pas si je saute sur votre offre, si j'envoie chercher le livre, et comptez sur ma probité pour vous dire ma pensée. Le fragment va me rendre exigeant [4].

Mais le roman entier était à la hauteur du fragment. « *La Chartreuse* est un grand et beau livre », écrivit Balzac à Stendhal début avril 1839. Et d'ajouter :

> Je vous le dis sans flatterie et sans envie, car je serais incapable de le faire et l'on peut louer franchement ce qui n'est pas de notre métier. Je fais une fresque et vous faites des statues italiennes. Il y a *progrès* sur tout ce que nous vous devons. Vous savez ce que je vous ai dit sur *Le Rouge et le Noir*. Eh bien ici tout est original et neuf ! Mon éloge est absolu, sincère. [...] Ah ! c'est beau comme l'italien et si Machiavel écrivait de nos jours un roman, ce serait *La Chartreuse*. Je n'ai pas dans ma vie adressé beaucoup de lettres d'éloges, aussi vous pouvez croire à ce que j'ai le plaisir de vous dire [5].

Voici donc quelques extraits du chapitre III de *La Chartreuse de Parme*. Le jeune Fabrice Del Dongo, dix-sept ans, fils d'un vieux marquis milanais réactionnaire et partisan de l'Autriche, étouffe dans la maison paternelle sur le lac de Côme. Lorsqu'il apprend que Napoléon (dont sa tante bien-aimée, veuve d'un officier de l'Empereur, a entretenu en lui le culte) est de retour de

---

1. Peintre italien (1450-1525), qui travailla à Milan et à Pavie.
2. Ou plutôt Wouwerman ou Wouwermans, Philips (1619-1668), peintre de genre hollandais qui peignit notamment des scènes de bataille et de la vie des campements militaires, avec des douzaines, voire des centaines de petites figures dans des paysages.
3. Peintre napolitain (1615-1673), romantique avant l'heure par sa sensibilité à la violence des affrontements guerriers comme à celle des phénomènes de la nature, tornades, écroulements, arbres déracinés.
4. Lettre de Balzac à Stendhal, fin mars 1839, *Correspondance* de Balzac, *op. cit.*, p. 583-584.
5. *Ibid.*, p. 585-586.

l'île d'Elbe, il s'enfuit pour combattre à ses côtés. Après diverses péripéties, il parvient à Waterloo le jour même de la bataille. À l'arrière, tandis que commence à rouler la canonnade, une cantinière maternelle, le voyant totalement inexpérimenté, le prend sous sa protection. Arrive le moment où Fabrice, pour la première fois de sa vie, voit un cadavre...

Fabrice n'avait pas fait cinq cents pas que sa rosse s'arrêta tout court : c'était un cadavre, posé en travers du sentier, qui faisait horreur au cheval et au cavalier.

La figure de Fabrice, très pâle naturellement, prit une teinte verte fort prononcée ; la cantinière, après avoir regardé le mort, dit, comme se parlant à elle-même : Ça n'est pas de notre division. Puis, levant les yeux sur notre héros, elle éclata de rire.

– Ha ! ha ! mon petit ! s'écria-t-elle, en voilà du nanan ! Fabrice restait glacé. Ce qui le frappait surtout c'était la saleté des pieds de ce cadavre qui déjà était dépouillé de ses souliers, et auquel on n'avait laissé qu'un mauvais pantalon tout souillé de sang.

– Approche, lui dit la cantinière ; descends de cheval ; il faut que tu t'y accoutumes ; tiens, s'écria-t-elle, il en a eu par la tête.

Une balle, entrée à côté du nez, était sortie par la tempe opposée, et défigurait ce cadavre d'une façon hideuse ; il était resté avec un œil ouvert.

– Descends donc de cheval, petit, dit la cantinière, et donne-lui une poignée de main pour voir s'il te la rendra.

Sans hésiter, quoique prêt à rendre l'âme de dégoût, Fabrice se jeta à bas de cheval et prit la main du cadavre qu'il secoua ferme ; puis il resta comme anéanti ; il sentait qu'il n'avait pas la force de remonter à cheval. Ce qui lui faisait horreur surtout c'était cet œil ouvert.

La vivandière va me croire un lâche, se disait-il avec amertume ; mais il sentait l'impossibilité de faire un mouvement : il serait tombé. Ce moment fut affreux ; Fabrice fut sur le point de se trouver mal tout à fait. La vivandière s'en aperçut, sauta lestement à bas de sa petite voiture, et lui présenta, sans mot dire, un verre d'eau-de-vie qu'il avala d'un trait ; il put remonter sur sa rosse, et continua la route sans dire une parole. La vivandière le regardait de temps à autre du coin de l'œil.

– Tu te battras demain, mon petit, lui dit-elle enfin, aujourd'hui tu resteras avec moi. Tu vois bien qu'il faut que tu apprennes le métier de soldat.

– Au contraire, je veux me battre tout de suite, s'écria notre héros d'un air sombre, qui sembla de bon augure à la vivandière. Le bruit du canon redoublait et semblait s'approcher. Les coups commençaient à former comme une basse continue ; un coup n'était séparé du coup voisin par aucun intervalle, et sur cette basse continue, qui rappelait le bruit d'un torrent lointain, on distinguait fort bien les feux de peloton [1].

Fabrice, jusque-là monté sur une rosse de paysan, achète à un soldat un fringant cheval qui s'élance ventre à terre, s'ébroue dans un canal, éclabousse un général.

– Où as-tu pris ce cheval ?

Fabrice était tellement troublé qu'il répondit en italien :

– *L'ho comprato poco fa.* (Je viens de l'acheter à l'instant.)

– Que dis-tu ? lui cria le général.

Mais le tapage devint tellement fort en ce moment, que Fabrice ne put lui répondre. Nous avouerons que notre héros était fort peu héros en ce moment. Toutefois, la peur ne venait chez lui qu'en seconde ligne ; il était surtout scandalisé de ce bruit qui lui faisait mal aux oreilles. L'escorte prit le galop ; on traversait une grande pièce de terre labourée, située au-delà du canal, et ce champ était jonché de cadavres.

– Les habits rouges ! les habits rouges [2] ! criaient avec joie les hussards de l'escorte, et d'abord Fabrice ne comprenait pas ; enfin il remarqua qu'en effet presque tous les cadavres étaient vêtus de rouge. Une circonstance lui donna un frisson d'horreur ; il remarqua que beaucoup de ces malheureux habits rouges vivaient encore ; ils criaient évidemment pour demander du secours, et personne ne s'arrêtait pour leur en

---

1. Stendhal, *La Chartreuse de Parme*, éd. Fabienne Bercegol, GF-Flammarion, 2000, p. 102-103.

2. Uniformes des soldats anglais.

donner. Notre héros, fort humain, se donnait toutes les peines du monde pour que son cheval ne mît les pieds sur aucun habit rouge. L'escorte s'arrêta ; Fabrice, qui ne faisait pas assez d'attention à son devoir de soldat, galopait toujours en regardant un malheureux blessé.

– Veux-tu bien t'arrêter, blanc-bec ! lui cria le maréchal des logis. Fabrice s'aperçut qu'il était à vingt pas sur la droite en avant des généraux, et précisément du côté où ils regardaient avec leurs lorgnettes. En revenant se ranger à la queue des autres hussards restés à quelques pas en arrière, il vit le plus gros de ces généraux qui parlait à son voisin, général aussi, d'un air d'autorité et presque de réprimande ; il jurait. Fabrice ne put retenir sa curiosité ; et, malgré le conseil de ne point parler, à lui donné par son amie la geôlière, il arrangea une petite phrase bien française, bien correcte, et dit à son voisin :

– Quel est-il ce général qui *gourmande* son voisin ?

– Pardi, c'est le maréchal !

– Quel maréchal ?

– Le maréchal Ney, bêta ! Ah çà ! où as-tu servi jusqu'ici ?

Fabrice, quoique fort susceptible, ne songea point à se fâcher de l'injure ; il contemplait, perdu dans une admiration enfantine, ce fameux prince de la Moskova, le brave des braves.

Tout à coup on partit au grand galop. Quelques instants après, Fabrice vit, à vingt pas en avant, une terre labourée qui était remuée d'une façon singulière. Le fond des sillons était plein d'eau, et la terre fort humide, qui formait la crête de ces sillons, volait en petits fragments noirs lancés à trois ou quatre pieds de haut. Fabrice remarqua en passant cet effet singulier ; puis sa pensée se remit à songer à la gloire du maréchal. Il entendit un cri sec auprès de lui : c'étaient deux hussards qui tombaient atteints par des boulets ; et, lorsqu'il les regarda, ils étaient déjà à vingt pas de l'escorte. Ce qui lui sembla horrible, ce fut un cheval tout sanglant qui se débattait sur la terre labourée, en engageant ses pieds dans ses propres entrailles ; il voulait suivre les autres : le sang coulait dans la boue.

Ah ! m'y voilà donc enfin au feu ! se dit-il. J'ai vu le feu ! se répétait-il avec satisfaction. Me voici un vrai militaire. À ce moment, l'escorte allait ventre à terre, et notre héros comprit que c'étaient des boulets qui faisaient voler la terre de toutes parts. Il avait beau regarder du côté d'où venaient les boulets, il voyait la fumée blanche de la batterie à une distance énorme, et, au milieu du ronflement égal et continu produit par les coups de canon, il lui semblait entendre des décharges beaucoup plus voisines ; il n'y comprenait rien du tout.

À ce moment, les généraux et l'escorte descendirent dans un petit chemin plein d'eau, qui était à cinq pieds en contrebas.

Le maréchal s'arrêta, et regarda de nouveau avec sa lorgnette. Fabrice, cette fois, put le voir tout à son aise ; il le trouva très blond, avec une grosse tête rouge. Nous n'avons point des figures comme celle-là en Italie, se dit-il. Jamais, moi qui suis si pâle et qui ai des cheveux châtains, je ne serai comme ça, ajoutait-il avec tristesse. Pour lui ces paroles voulaient dire : Jamais je ne serai un héros. Il regarda les hussards ; à l'exception d'un seul, tous avaient des moustaches jaunes. Si Fabrice regardait les hussards de l'escorte, tous le regardaient aussi. Ce regard le fit rougir, et, pour finir son embarras, il tourna la tête vers l'ennemi. C'étaient des lignes fort étendues d'hommes rouges ; mais, ce qui l'étonna fort, ces hommes lui semblaient tout petits. Leurs longues files, qui étaient des régiments ou des divisions, ne lui paraissaient pas plus hautes que des haies. Une ligne de cavaliers rouges trottait pour se rapprocher du chemin en contrebas que le maréchal et l'escorte s'étaient mis à suivre au petit pas, pataugeant dans la boue. La fumée empêchait de rien distinguer du côté vers lequel on s'avançait ; l'on voyait quelquefois des hommes au galop se détacher sur cette fumée blanche.

Tout à coup, du côté de l'ennemi, Fabrice vit quatre hommes qui arrivaient ventre à terre. Ah ! nous sommes attaqués, se dit-il ; puis il vit deux de ces hommes parler au maréchal. Un des généraux de la suite de ce dernier partit au galop du côté de l'ennemi, suivi de deux hussards de l'escorte et des quatre hommes qui venaient d'arriver. Après un petit canal que tout le monde passa, Fabrice se trouva à côté d'un maréchal des logis qui avait l'air fort bon enfant. Il faut que je parle à celui-là, se dit-il, peut-être ils cesseront de me regarder. Il médita longtemps.

– Monsieur, c'est la première fois que j'assiste à la bataille, dit-il enfin au maréchal des logis ; mais ceci est-il une véritable bataille [1] ?

La bataille fait rage, les boulets pleuvent. Pour supporter la vue d'un cuirassier qu'on ampute, Fabrice boit plusieurs verres d'eau-de-vie avec ses nouveaux camarades. Il est ivre sur sa selle lorsque le grand moment tant attendu survient enfin :

Tout à coup le maréchal des logis cria à ses hommes :

– Vous ne voyez donc pas l'Empereur, s… ! Sur-le-champ l'escorte cria *vive l'Empereur !* à tue-tête. On peut penser si notre héros regarda de tous ses yeux, mais il ne vit que des généraux qui galopaient, suivis, eux aussi, d'une escorte. Les longues crinières pendantes que portaient à leurs casques les dragons de la suite l'empêchèrent de distinguer les figures. Ainsi, je n'ai pu voir l'Empereur sur un champ de bataille, à cause de ces maudits verres d'eau-de-vie ! Cette réflexion le réveilla tout à fait.

On redescendit dans un chemin rempli d'eau, les chevaux voulurent boire.

– C'est donc l'Empereur qui a passé là ? dit-il à son voisin.

– Eh ! certainement, celui qui n'avait pas d'habit brodé. Comment ne l'avez-vous pas vu ? lui répondit le camarade avec bienveillance. Fabrice eut grande envie de galoper après l'escorte de l'Empereur et de s'y incorporer. Quel bonheur de faire réellement la guerre à la suite de ce héros ! C'était pour cela qu'il était venu en France. J'en suis parfaitement le maître, se dit-il, car enfin je n'ai d'autre raison pour faire le service que je fais, que la volonté de mon cheval qui s'est mis à galoper pour suivre ces généraux.

Ce qui détermina Fabrice à rester, c'est que les hussards ses nouveaux camarades lui faisaient bonne mine ; il commençait à se croire l'ami intime de tous les soldats avec lesquels il galopait depuis quelques heures. Il voyait entre eux et lui cette noble amitié des héros du Tasse et de l'Arioste.

---

1. *La Chartreuse de Parme, op. cit.*, p. 107-109.

S'il se joignait à l'escorte de l'Empereur, il y aurait une nouvelle connaissance à faire ; peut-être même on lui ferait la mine car ces autres cavaliers étaient des dragons et lui portait l'uniforme de hussard ainsi que tout ce qui suivait le maréchal. La façon dont on le regardait maintenant mit notre héros au comble du bonheur ; il eût fait tout au monde pour ses camarades ; son âme et son esprit étaient dans les nues [1].

Mais Fabrice retombe bien vite de ces hauteurs, au sens propre : il est jeté à bas de son beau cheval, au profit d'un général dont la monture vient d'être fauchée par la mitraille. À peine a-t-il le temps de se relever, furieux et criant au voleur, que le général et son escorte s'éloignent au grand galop...

Désespéré, bien moins de la perte de son cheval que de la trahison, il se laissa tomber au bord du fossé, fatigué et mourant de faim. Si son beau cheval lui eût été enlevé par l'ennemi, il n'y eût pas songé ; mais se voir trahir et voler par ce maréchal des logis qu'il aimait tant et par ces hussards qu'il regardait comme des frères ! c'est ce qui lui brisait le cœur. Il ne pouvait se consoler de tant d'infamie, et, le dos appuyé contre un saule, il se mit à pleurer à chaudes larmes. Il défaisait un à un tous ses beaux rêves d'amitié chevaleresque et sublime, comme celle des héros de *La Jérusalem délivrée*. Voir arriver la mort n'était rien, entouré d'âmes héroïques et tendres, de nobles amis qui vous serrent la main au moment du dernier soupir ! mais garder son enthousiasme, entouré de vils fripons ! ! ! Fabrice exagérait comme tout homme indigné. Au bout d'un quart d'heure d'attendrissement, il remarqua que les boulets commençaient à arriver jusqu'à la rangée d'arbres à l'ombre desquels il méditait. Il se leva et chercha à s'orienter. Il regardait ces prairies bordées par un large canal et la rangée de saules touffus : il crut se reconnaître. Il aperçut un corps d'infanterie qui passait le fossé et entrait dans les prairies, à un quart de lieue en avant de lui. J'allais m'endormir, se dit-il ; il s'agit de n'être pas prisonnier ; et il se mit à marcher très vite. En avançant il fut rassuré, il reconnut l'uniforme, les régiments par lesquels

---

1. *Ibid.*, p. 112-113.

il craignait d'être coupé étaient français. Il obliqua à droite pour les rejoindre.

Après la douleur morale d'avoir été si indignement trahi et volé, il en était une autre qui, à chaque instant, se faisait sentir plus vivement : il mourait de faim. Ce fut donc avec une joie extrême qu'après avoir marché, ou plutôt couru pendant dix minutes, il s'aperçut que le corps d'infanterie, qui allait très vite aussi, s'arrêtait comme pour prendre position. Quelques minutes plus tard, il se trouvait au milieu des premiers soldats.

– Camarades, pourriez-vous me vendre un morceau de pain ?

– Tiens, cet autre qui nous prend pour des boulangers !

Ce mot dur et le ricanement général qui le suivit accablèrent Fabrice. La guerre n'était donc plus ce noble et commun élan d'âmes amantes de la gloire qu'il s'était figuré d'après les proclamations de Napoléon ! Il s'assit, ou plutôt se laissa tomber sur le gazon ; il devint très pâle. Le soldat qui lui avait parlé, et qui s'était arrêté à dix pas pour nettoyer la batterie de son fusil avec son mouchoir, s'approcha et lui jeta un morceau de pain, puis, voyant qu'il ne le ramassait pas, le soldat lui mit un morceau de ce pain dans la bouche. Fabrice ouvrit les yeux, et mangea ce pain sans avoir la force de parler. Quand enfin il chercha des yeux le soldat pour le payer, il se trouva seul, les soldats les plus voisins de lui étaient éloignés de cent pas et marchaient. Il se leva machinalement et les suivit. Il entra dans un bois ; il allait tomber de fatigue et cherchait déjà de l'œil une place commode ; mais quelle ne fut pas sa joie en reconnaissant d'abord le cheval, puis la voiture, et enfin la cantinière du matin ! Elle accourut à lui et fut effrayée de sa mine.

– Marche encore, mon petit, lui dit-elle ; tu es donc blessé ? et ton beau cheval ? En parlant ainsi elle le conduisait vers sa voiture, où elle le fit monter, en le soutenant par-dessous les bras. À peine dans la voiture, notre héros, excédé de fatigue, s'endormit profondément [1].

---

1. *Ibid.*, p. 114-116.

Dossier 157

LA BATAILLE D'EYLAU SELON VICTOR HUGO

Sur un tout autre registre, voici comment Victor Hugo, alors âgé de soixante-douze ans, évoqua la bataille d'Eylau dans *La Légende des siècles*, d'après le récit de l'oncle Louis Hugo, qui commandait une compagnie de grenadiers à Eylau, où il perdit presque tous ces compagnons et, gravement blessé, faillit aussi laisser son bras droit. Balzac, mort en 1850, ne put évidemment jamais lire ce poème, écrit en février 1874 et publié pour la première fois dans la « Nouvelle série » de *La Légende des siècles* en 1877. « Le Cimetière d'Eylau » fit à peu près l'unanimité de la critique, y compris des adversaires de Hugo, tel Barbey d'Aurevilly qui, tout en déplorant « la bêtise humanitaire » du vieux poète dans le reste du volume, salua ce texte où il se montrait « sublime par la simplicité, la grandeur sévère, la concision rapide » (*Le Constitutionnel*, 12 mars 1877).

LE CIMETIÈRE D'EYLAU

À mes frères aînés, écoliers éblouis,
Ce qui suit fut conté par mon oncle Louis,
Qui me disait à moi, de sa voix la plus tendre :
– Joue, enfant ! – me jugeant trop petit pour comprendre.
5   J'écoutais cependant, et mon oncle disait :

– Une bataille, bah ! savez-vous ce que c'est ?
De la fumée. À l'aube on se lève, à la brune
On se couche ; et je vais vous en raconter une.
Cette bataille-là se nomme Eylau ; je crois
10   Que j'étais capitaine et que j'avais la croix ;
Oui, j'étais capitaine. Après tout, à la guerre,
Un homme, c'est de l'ombre, et ça ne compte guère,
Et ce n'est pas de moi qu'il s'agit. Donc, Eylau
C'est un pays en Prusse ; un bois, des champs, de l'eau,
15   De la glace, et partout l'hiver et la bruine.

Le régiment campa près d'un mur en ruine ;
On voyait des tombeaux autour d'un vieux clocher.
Benigssen ne savait qu'une chose, approcher
Et fuir ; mais l'empereur dédaignait ce manège.
20   Et les plaines étaient toutes blanches de neige.
Napoléon passa, sa lorgnette à la main.
Les grenadiers disaient : Ce sera pour demain.
Des vieillards, des enfants pieds nus, des femmes grosses
Se sauvaient ; je songeais ; je regardais les fosses.
25   Le soir on fit les feux, et le colonel vint ;
Il dit : – Hugo ? – Présent. – Combien d'hommes ? – Cent vingt.
– Bien. Prenez avec vous la compagnie entière,
Et faites-vous tuer. – Où ? – Dans le cimetière.
Et je lui répondis : – C'est en effet l'endroit.
30   J'avais ma gourde, il but et je bus ; un vent froid
Soufflait. Il dit : – La mort n'est pas loin. Capitaine,
J'aime la vie, et vivre est la chose certaine,
Mais rien ne sait mourir comme les bons vivants.
Moi, je donne mon cœur, mais ma peau, je la vends.
35   Gloire aux belles ! Trinquons. Votre poste est le pire. –
Car notre colonel avait le mot pour rire.
Il reprit : – Enjambez le mur et le fossé,
Et restez là ; ce point est un peu menacé,
Ce cimetière étant la clef de la bataille.
40   Gardez-le. – Bien. – Ayez quelques bottes de paille.
– On n'en a point. – Dormez par terre. – On dormira.
– Votre tambour est-il brave ? – Comme Bara.
– Bien. Qu'il batte la charge au hasard et dans l'ombre,
Il faut avoir le bruit quand on n'a pas le nombre.
45   Et je dis au gamin : – Entends-tu, gamin ? – Oui,
Mon capitaine, dit l'enfant, presque enfoui
Sous le givre et la neige, et riant. – La bataille,
Reprit le colonel, sera toute à mitraille ;
Moi, j'aime l'arme blanche, et je blâme l'abus
50   Qu'on fait des lâchetés féroces de l'obus ;
Le sabre est un vaillant, la bombe une traîtresse ;
Mais laissons l'Empereur faire. Adieu, le temps presse.
Restez ici demain sans broncher. Au revoir.
Vous ne vous en irez qu'à six heures du soir. –

55 Le colonel partit. Je dis : – Par file à droite !
Et nous entrâmes tous dans une enceinte étroite ;
De l'herbe, un mur autour, une église au milieu,
Et dans l'ombre, au-dessus des tombes, un bon Dieu.

Un cimetière sombre, avec de blanches lames,
60 Cela rappelle un peu la mer. Nous crénelâmes
Le mur, et je donnai le mot d'ordre, et je fis
Installer l'ambulance au pied du crucifix.
– Soupons, dis-je, et dormons. – La neige cachait l'herbe ;
Nos capotes étaient en loques ; c'est superbe,
65 Si l'on veut, mais c'est dur quand le temps est mauvais.
Je pris pour oreiller une fosse ; j'avais
Les pieds transis, ayant des bottes sans semelle ;
Et bientôt, capitaine et soldats pêle-mêle,
Nous ne bougeâmes plus, endormis sur les morts.
70 Cela dort, les soldats ; cela n'a ni remords,
Ni crainte, ni pitié, n'étant pas responsable ;
Et, glacé par la neige ou brûlé par le sable,
Cela dort ; et d'ailleurs, se battre rend joyeux.
Je leur criai : Bonsoir ! et je fermai les yeux ;
75 À la guerre on n'a pas le temps des pantomimes.
Le ciel était maussade, il neigeait, nous dormîmes.
Nous avions ramassé des outils de labour,
Et nous en avions fait un grand feu. Mon tambour
L'attisa, puis s'en vint près de moi faire un somme.
80 C'était un grand soldat, fils, que ce petit homme.
Le crucifix resta debout, comme un gibet.
Bref le feu s'éteignit ; et la neige tombait.
Combien fut-on de temps à dormir de la sorte ?
Je veux, si je le sais, que le diable m'emporte !
85 Nous dormions bien. Dormir, c'est essayer la mort.
À la guerre c'est bon. J'eus froid, très froid d'abord ;
Puis je rêvai ; je vis en rêve des squelettes
Et des spectres, avec de grosses épaulettes ;
Par degrés, lentement, sans quitter mon chevet,
90 J'eus la sensation que le jour se levait,
Mes paupières sentaient de la clarté dans l'ombre ;
Tout à coup, à travers mon sommeil, un bruit sombre
Me secoua, c'était au canon ressemblant ;
Je m'éveillai ; j'avais quelque chose de blanc

95 Sur les yeux ; doucement, sans choc, sans violence,
La neige nous avait tous couverts en silence
D'un suaire, et j'y fis en me dressant un trou ;
Un boulet, qui nous vint je ne sais trop par où,
M'éveilla tout à fait ; je lui dis : Passe au large !
100 Et je criai : – Tambour, debout ! et bats la charge !

Cent vingt têtes alors, ainsi qu'un archipel,
Sortirent de la neige ; un sergent fit l'appel,
Et l'aube se montra, rouge, joyeuse et lente ;
On eût cru voir sourire une bouche sanglante.
105 Je me mis à penser à ma mère ; le vent
Semblait me parler bas ; à la guerre souvent
Dans le lever du jour c'est la mort qui se lève.
Je songeais. Tout d'abord nous eûmes une trêve ;
Les deux coups de canon n'étaient rien qu'un signal,
110 La musique parfois s'envole avant le bal
Et fait danser en l'air une ou deux notes vaines.
La nuit avait figé notre sang dans nos veines,
Mais sentir le combat venir nous réchauffait.
L'armée allait sur nous s'appuyer en effet ;
115 Nous étions les gardiens du centre, et la poignée
D'hommes sur qui la bombe, ainsi qu'une cognée,
Va s'acharner ; et j'eusse aimé mieux être ailleurs.
Je mis mes gens le long du mur ; en tirailleurs.
Et chacun se berçait de la chance peu sûre
120 D'un bon grade à travers une bonne blessure ;
À la guerre on se fait tuer pour réussir.
Mon lieutenant, garçon qui sortait de Saint-Cyr,
Me cria : – Le matin est une aimable chose ;
Quel rayon de soleil charmant ! La neige est rose !
125 Capitaine, tout brille et rit ! quel frais azur !
Comme ce paysage est blanc, paisible et pur !
– Cela va devenir terrible, répondis-je.
Et je songeais au Rhin, aux Alpes, à l'Adige,
À tous nos fiers combats sinistres d'autrefois.

130 Brusquement la bataille éclata. Six cents voix
Énormes, se jetant la flamme à pleines bouches,
S'insultèrent du haut des collines farouches,
Toute la plaine fut un abîme fumant,

Et mon tambour battait la charge éperdument.
135 Aux canons se mêlait une fanfare altière,
Et les bombes pleuvaient sur notre cimetière,
Comme si l'on cherchait à tuer les tombeaux ;
On voyait du clocher s'envoler les corbeaux ;
Je me souviens qu'un coup d'obus troua la terre,
140 Et le mort apparut stupéfait dans sa bière,
Comme si le tapage humain le réveillait.
Puis un brouillard cacha le soleil. Le boulet
Et la bombe faisaient un bruit épouvantable.
Berthier, prince d'empire et vice-connétable,
145 Chargea sur notre droite un corps hanovrien
Avec trente escadrons, et l'on ne vit plus rien
Qu'une brume sans fond, de bombes étoilée ;
Tant toute la bataille et toute la mêlée
Avaient dans le brouillard tragique disparu.
150 Un nuage tombé par terre, horrible, accru
Par des vomissements immenses de fumées,
Enfants, c'est là-dessous qu'étaient les deux armées ;
La neige en cette nuit flottait comme un duvet,
Et l'on s'exterminait, ma foi, comme on pouvait.
155 On faisait de son mieux. Pensif, dans les décombres,
Je voyais mes soldats rôder comme des ombres,
Spectres le long du mur rangés en espalier ;
Et ce champ me faisait un effet singulier,
Des cadavres dessous et dessus des fantômes.
160 Quelques hameaux flambaient ; au loin brûlaient des chaumes.
Puis la brume où du Harz on entendait le cor
Trouva moyen de croître et d'épaissir encor,
Et nous ne vîmes plus que notre cimetière ;
À midi nous avions notre mur pour frontière ;
165 Comme par une main noire, dans de la nuit,
Nous nous sentîmes prendre, et tout s'évanouit.
Notre église semblait un rocher dans l'écume.
La mitraille voyait fort clair dans cette brume,
Nous tenait compagnie, écrasait le chevet
170 De l'église, et la croix de pierre, et nous prouvait
Que nous n'étions pas seuls dans cette plaine obscure.
Nous avions faim, mais pas de soupe ; on se procure

Avec peine à manger dans un tel lieu. Voilà
Que la grêle de feu tout à coup redoubla.
175 La mitraille, c'est fort gênant ; c'est de la pluie ;
Seulement ce qui tombe et ce qui vous ennuie,
Ce sont des grains de flamme et non des gouttes d'eau.
Des gens à qui l'on met sur les yeux un bandeau,
C'était nous. Tout croulait sous les obus, le cloître,
180 L'église et le clocher, et je voyais décroître
Les ombres que j'avais autour de moi debout ;
Une de temps en temps tombait. – On meurt beaucoup,
Dit un sergent pensif comme un loup dans un piège ;
Puis il reprit, montrant les fosses sous la neige :
185 – Pourquoi nous donne-t-on ce champ déjà meublé ? –
Nous luttions. C'est le sort des hommes et du blé
D'être fauchés sans voir la faulx. Un petit nombre
De fantômes rôdait encor dans la pénombre ;
Mon gamin de tambour continuait son bruit ;
190 Nous tirions par-dessus le mur presque détruit.
Mes enfants, vous avez un jardin ; la mitraille
Était sur nous, gardiens de cette âpre muraille,
Comme vous sur les fleurs avec votre arrosoir.
« Vous ne vous en irez qu'à six heures du soir. »
195 Je songeais, méditant tout bas cette consigne.
Des jets d'éclair mêlés à des plumes de cygne,
Des flammèches rayant dans l'ombre les flocons,
C'est tout ce que nos yeux pouvaient voir. – Attaquons !
Me dit le sergent. – Qui ? dis-je, on ne voit personne.
200 – Mais on entend. Les voix parlent ; le clairon sonne,
Partons, sortons ; la mort crache sur nous ici ;
Nous sommes sous la bombe et l'obus. – Restons-y.
J'ajoutai : – C'est sur nous que tombe la bataille.
Nous sommes le pivot de l'action. – Je bâille,
205 Dit le sergent. – Le ciel, les champs, tout était noir ;
Mais quoiqu'en pleine nuit, nous étions loin du soir,
Et je me répétais tout bas : Jusqu'à six heures.
– Morbleu ! nous aurons peu d'occasions meilleures
Pour avancer ! me dit mon lieutenant. Sur quoi,
210 Un boulet l'emporta. Je n'avais guère foi
Au succès ; la victoire au fond n'est qu'une garce.
Une blême lueur, dans le brouillard éparse,

Éclairait vaguement le cimetière. Au loin
Rien de distinct, sinon que l'on avait besoin
215 De nous pour recevoir sur nos têtes les bombes.
L'empereur nous avait mis là, parmi ces tombes ;
Mais, seuls, criblés d'obus et rendant coups pour coups,
Nous ne devinions pas ce qu'il faisait de nous.
Nous étions, au milieu de ce combat, la cible.
220 Tenir bon, et durer le plus longtemps possible,
Tâcher de n'être morts qu'à six heures du soir,
En attendant, tuer, c'était notre devoir.
Nous tirions au hasard, noirs de poudre, farouches ;
Ne prenant que le temps de mordre les cartouches,
225 Nos soldats combattaient et tombaient sans parler.
– Sergent, dis-je, voit-on l'ennemi reculer ?
– Non. – Que voyez-vous ? – Rien. – Ni moi. – C'est le déluge,
Mais en feu. – Voyez-vous nos gens ? – Non. Si j'en juge
Par le nombre de coups qu'à présent nous tirons,
230 Nous sommes bien quarante. – Un grognard à chevrons
Qui tiraillait pas loin de moi dit : – On est trente.
Tout était neige et nuit ; la bise pénétrante
Soufflait, et, grelottants, nous regardions pleuvoir
Un gouffre de points blancs dans un abîme noir.
235 La bataille pourtant semblait devenir pire.
C'est qu'un royaume était mangé par un empire !
On devinait derrière un voile un choc affreux ;
On eût dit des lions se dévorant entre eux ;
C'était comme un combat des géants de la fable ;
240 On entendait le bruit des décharges, semblable
À des écroulements énormes ; les faubourgs
De la ville d'Eylau prenaient feu ; les tambours
Redoublaient leur musique horrible, et sous la nue
Six cents canons faisaient la basse continue ;
245 On se massacrait ; rien ne semblait décidé ;
La France jouait là son plus grand coup de dé ;
Le bon Dieu de là-haut était-il pour ou contre ?
Quelle ombre ! et je tirais de temps en temps ma montre.
Par intervalle un cri troublait ce champ muet,
250 Et l'on voyait un corps gisant qui remuait.
Nous étions fusillés l'un après l'autre, un râle
Immense remplissait cette ombre sépulcrale.

Les rois ont les soldats comme vous vos jouets.
Je levais mon épée, et je la secouais
255   Au-dessus de ma tête, et je criais : Courage !
J'étais sourd et j'étais ivre, tant avec rage
Les coups de foudre étaient par d'autres coups suivis ;
Soudain mon bras pendit, mon bras droit, et je vis
Mon épée à mes pieds, qui m'était échappée ;
260   J'avais un bras cassé ; je ramassai l'épée
Avec l'autre, et la pris dans ma main gauche : – Amis !
Se faire aussi casser le bras gauche est permis !
Criai-je, et je me mis à rire, chose utile,
Car le soldat n'est point content qu'on le mutile,
265   Et voir le chef un peu blessé ne déplaît point.
Mais quelle heure était-il ? Je n'avais plus qu'un poing
Et j'en avais besoin pour lever mon épée ;
Mon autre main battait mon flanc, de sang trempée,
Et je ne pouvais plus tirer ma montre. Enfin
270   Mon tambour s'arrêta : – Drôle, as-tu peur ? – J'ai faim,
Me répondit l'enfant. En ce moment la plaine
Eut comme une secousse, et fut brusquement pleine
D'un cri qui jusqu'au ciel sinistre s'éleva.
Je me sentais faiblir ; tout un homme s'en va
275   Par une plaie ; un bras cassé, cela ruisselle ;
Causer avec quelqu'un soutient quand on chancelle ;
Mon sergent me parla ; je dis au hasard : Oui,
Car je ne voulais pas tomber évanoui.
Soudain le feu cessa, la nuit sembla moins noire.
280   Et l'on criait : Victoire ! et je criai : Victoire !
J'aperçus des clartés qui s'approchaient de nous.
Sanglant, sur une main et sur les deux genoux
Je me traînai ; je dis : – Voyons où nous en sommes.
J'ajoutai : – Debout, tous ! Et je comptai mes hommes.
285   – Présent ! dit le sergent. – Présent ! dit le gamin.
Je vis mon colonel venir, l'épée en main.
– Par qui donc la bataille a-t-elle été gagnée ?
– Par vous, dit-il. – La neige étant de sang baignée,
Il reprit : – C'est bien vous, Hugo ? c'est votre voix ?
290   – Oui. – Combien de vivants êtes-vous ici ? – Trois [1].

---

1. Victor Hugo, « Le Cimetière d'Eylau », *La Légende des siècles*, Gallimard, coll. « Poésie », p. 707-715.

*Napoléon visitant le champ
de bataille d'Eylau (9 février 1807)*
par le baron Antoine Jean Gros (1771-1835)

Paris, musée du Louvres

AUTRE TEMPS, AUTRE GUERRE : *BOULE DE SUIF*

Lorsque paraît l'édition définitive et complète de ce monument romantique qu'est *La Légende des siècles*, en 1883-1884, personne n'écrit plus comme Victor Hugo, ni en vers (le symbolisme règne) ni en prose. Un autre Napoléon, une autre guerre sont passés par là, et une nouvelle génération de romanciers occupe le devant de la scène littéraire : la jeune génération naturaliste, rassemblée autour d'Émile Zola, et dont le manifeste, le recueil collectif de nouvelles *Les Soirées de Médan*, paru en 1880, est entièrement consacré à l'évocation de la guerre de 1870. Le texte phare, et la révélation de ce recueil (auquel participèrent notamment Zola et Huysmans), c'est *Boule de suif* de Maupassant, né treize jours avant la mort de Balzac.

Les premières pages, que nous reproduisons ci-après, évoquent la retraite *in extremis* de l'armée de Rouen devant l'invasion prussienne, en décembre 1870, nouvelle « retraite de Russie [1] » à sa manière, et non moins meurtrière : sous la neige et par un froid terrible, bien des soldats, épuisés et mourant de faim, n'atteignirent jamais la ville fortifiée du Havre, et se couchèrent en chemin dans les fossés de la route de Pont-Audemer pour ne plus se relever. Maupassant savait de quoi il parlait : il y était. Il avait tout juste vingt ans.

Gustave Flaubert, découvrant le 1er février 1880, sur épreuves, ce texte du jeune Maupassant qu'il aimait comme un fils, laissa libre cours à son enthousiasme : « Je considère *Boule de suif* comme un *chef-d'œuvre* ! Oui ! jeune homme ! Ni plus ni moins, cela est d'un maître. C'est bien original de conception, entièrement bien compris et d'un excellent style. Le personnage et les paysages se voient et la psychologie est forte. Bref, je suis ravi : deux ou trois fois j'ai ri tout haut. [...] Ce petit conte *restera*, soyez-en sûr ! [...] J'ai envie de te bécoter

---

1. Voir *supra*, p. 142.

pendant un quart d'heure ! Non ! vraiment, je suis content ! Je me suis amusé et j'admire. [...] Je vous embrasse plus fort que jamais [...] rebravo ! nom de Dieu[1] ! »

Pendant plusieurs jours de suite des lambeaux d'armée en déroute avaient traversé la ville. Ce n'était point de la troupe, mais des hordes débandées. Les hommes avaient la barbe longue et sale, des uniformes en guenilles, et ils avançaient d'une allure molle, sans drapeau, sans régiment. Tous semblaient accablés, éreintés, incapables d'une pensée ou d'une résolution, marchant seulement par habitude, et tombant de fatigue sitôt qu'ils s'arrêtaient. On voyait surtout des mobilisés, gens pacifiques, rentiers tranquilles, pliant sous le poids du fusil ; des petits moblots alertes, faciles à l'épouvante et prompts à l'enthousiasme, prêts à l'attaque comme à la fuite ; puis, au milieu d'eux, quelques culottes rouges, débris d'une division moulue dans une grande bataille ; des artilleurs sombres alignés avec ces fantassins divers ; et, parfois, le casque brillant d'un dragon au pied pesant qui suivait avec peine la marche plus légère des lignards.

Des légions de francs-tireurs aux appellations héroïques – « les Vengeurs de la Défaite – les Citoyens de la Tombe – les Partageurs de la Mort » – passaient à leur tour, avec des airs de bandits.

Leurs chefs, anciens commerçants en draps ou en graines, ex-marchands de suif ou de savon, guerriers de circonstance, nommés officiers pour leurs écus ou la longueur de leurs moustaches, couverts d'armes, de flanelle et de galons, parlaient d'une voix retentissante, discutaient plans de campagne, et prétendaient soutenir seuls la France agonisante sur leurs épaules de fanfarons ; mais ils redoutaient parfois leurs propres soldats, gens de sac et de corde, souvent braves à outrance, pillards et débauchés.

Les Prussiens allaient entrer dans Rouen, disait-on.

La Garde nationale qui, depuis deux mois, faisait des reconnaissances très prudentes dans les bois voisins, fusillant parfois ses propres sentinelles, et se préparant au combat

---

1. *Correspondance Flaubert-Maupassant*, Flammarion, 1993, n° 138.

quand un petit lapin remuait sous des broussailles, était rentrée dans ses foyers. Ses armes, ses uniformes, tout son attirail meurtrier dont elle épouvantait naguère les bornes des routes nationales à trois lieues à la ronde avaient subitement disparu.

Les derniers soldats français venaient enfin de traverser la Seine pour gagner Pont-Audemer par Saint-Sever et Bourg-Achard ; et, marchant après tous, le général désespéré, ne pouvant rien tenter avec ces loques disparates, éperdu lui-même dans la grande débâcle d'un peuple habitué à vaincre et désastreusement battu malgré sa bravoure légendaire, s'en allait à pied, entre deux officiers d'ordonnance.

Puis un calme profond, une attente épouvantée et silencieuse avaient plané sur la cité. Beaucoup de bourgeois bedonnants, émasculés par le commerce, attendaient anxieusement les vainqueurs, tremblant qu'on ne considérât comme une arme leurs broches à rôtir ou leurs grands couteaux de cuisine.

La vie semblait arrêtée, les boutiques étaient closes, la rue muette. Quelquefois un habitant, intimidé par ce silence, filait rapidement le long des murs.

L'angoisse de l'attente faisait désirer la venue de l'ennemi.

Dans l'après-midi du jour qui suivit le départ des troupes françaises, quelques uhlans, sortis on ne sait d'où, traversèrent la ville avec célérité. Puis, un peu plus tard, une masse noire descendit de la côte Sainte-Catherine, tandis que deux autres flots envahisseurs apparaissaient par les routes de Darnetal et de Bois-Guillaume. Les avant-gardes des trois corps, juste au même moment, se joignirent sur la place de l'Hôtel-de-Ville ; et, par toutes les rues voisines, l'armée allemande arrivait, déroulant ses bataillons qui faisaient sonner les pavés sous leur pas dur et rythmé.

Des commandements criés d'une voix inconnue et gutturale montaient le long des maisons qui semblaient mortes et désertes, tandis que, derrière les volets fermés, des yeux guettaient ces hommes victorieux, maîtres de la cité, des fortunes et des vies de par le « droit de guerre ». Les habitants, dans leurs chambres assombries, avaient l'affolement que donnent les cataclysmes, les grands bouleversements meurtriers de la terre, contre lesquels toute sagesse et toute force sont inutiles. Car la même sensation reparaît chaque fois que l'ordre établi des choses est renversé, que la sécurité n'existe plus, que tout ce que protégeaient les lois des hommes ou celles de la nature, se trouve à la merci d'une brutalité inconsciente et féroce. Le tremblement de terre écrasant sous les maisons croulantes un peuple entier ; le fleuve débordé qui roule les paysans noyés avec les cadavres des bœufs et les poutres arrachées aux toits, ou l'armée glorieuse massacrant ceux qui se défendent, emmenant les autres prisonniers, pillant au nom du Sabre et remerciant un Dieu au son du canon, sont autant de fléaux effrayants qui déconcertent toute croyance à la justice éternelle, toute la confiance qu'on nous enseigne en la protection du ciel et la raison de l'homme [1].

1. Maupassant, *Boule de suif et autres histoires de guerre*, GF-Flammarion, 1991, rééd. 2009, p. 45-47.

Entretien avec Yves Angelo, réalisateur, et Jean Cosmos, scénariste

Le 19 novembre 1994, à la Maison de Balzac, rue Raynouard, à Paris, Thierry Bodin, directeur de la Société des amis de Balzac, a invité le réalisateur Yves Angelo et le scénariste Jean Cosmos à venir parler de leur film *Le Colonel Chabert*, qui sortait alors dans les salles.

Yves Angelo et Jean Cosmos ne cachent pas le rôle déterminant joué par Gérard Depardieu à l'origine du projet. L'acteur, d'ailleurs, souhaitait au départ incarner Balzac lui-même dans un film qui retracerait sa vie – ce qu'il fit quelques années plus tard dans le téléfilm tourné par Josée Dayan (*Balzac*, 1999). Cherchant un personnage balzacien qui pût convenir à l'acteur, Jean Cosmos l'eût volontiers imaginé en Vautrin. Mais Gérard Depardieu se prit finalement de passion pour le colonel Chabert et, bien que physiquement très différent du personnage de Balzac, se vit naturellement confier le rôle.

Autour de lui, Yves Angelo et Jean Cosmos rassemblèrent dans les principaux rôles des acteurs rompus au théâtre, notamment Fanny Ardant (la comtesse Ferraud), André Dussolier (le comte Ferraud), Claude Rich (Monsieur de Chamblin) et, dans le rôle de Derville, qui exigeait non seulement une technique théâtrale éprouvée mais aussi un grand pouvoir de mémorisation, Fabrice Luchini.

LA TRANSPOSITION DU ROMAN
ET LES MODIFICATIONS APPORTÉES AUX PERSONNAGES

Interrogé sur la manière dont il a transposé le roman à l'écran et modifié la trame romanesque, Yves Angelo ▬ répond :

Je crois que l'intérêt d'une adaptation cinématographique c'est de toujours faire dériver une histoire, c'est de la ramener à un point de vue qui est un point de vue forcément différent, et qui est différent simplement parce que le temps a passé et parce que le regard que l'on porte sur cette histoire, et sur ce que cette histoire exprime, la fait ramener à notre situation contemporaine. Et l'idée de départ, l'idée qui nous semblait la plus intéressante c'était vraiment celle-là. C'est de voir en quoi elle nous ramenait à nous-mêmes, aujourd'hui en 1994, avant tout. Et donc, l'idée de départ, sans changer l'intrigue elle-même, était plutôt de changer la caractérisation des personnages et de rendre les personnages moins manichéens, moins blanc et noir, mais beaucoup plus enchevêtrés dans des sentiments contradictoires. Et le scénario a été un peu conçu comme cela, sur le problème de l'ambiguïté, sur le jeu de masques que les êtres humains se voient obligés de porter, pour simplement exister dans la relation sociale, dans la relation professionnelle et dans la relation amoureuse également. Et je dois dire que – peut-être nous aurons l'occasion d'en parler – nous avons été extrêmement fidèles à l'esprit de Balzac beaucoup plus qu'à celui du *Colonel Chabert*. [...]

THIERRY BODIN : [...] Vous avez introduit ou modifié le destin et l'apparition dans le film de certains personnages. Il était évident qu'on ne pouvait pas faire un film du *Colonel Chabert* sans introduire le comte Ferraud, le film n'aurait pas pu fonctionner. D'ailleurs, c'est ce qu'avaient compris René Le Hénaff et Pierre Benoit [1]. Le comte Ferraud avait, quand même, une grande importance dans le film et là, vous l'avez mis et il est merveilleusement interprété par Dussolier. Sans ce personnage, le film aurait été déséquilibré. Autant dans le

---

1. Ils ont porté à l'écran *Le Colonel Chabert* en 1943 (voir *infra*, p. 179).

récit de Balzac il est là, présent, mais sans être physiquement présent dans la narration, dans le film c'était absolument impossible de ne pas le montrer.

YVES ANGELO : [...] pour un roman qui s'appelait aussi *La Comtesse à deux maris*, il était nécessaire, justement, dans l'idée du jeu des masques et d'ambiguïté, de présenter physiquement l'autre mari et de montrer l'oscillation permanente à l'intérieur de ce jeu des masques, d'un mari à l'autre, entre le passé et le présent. C'est toute la métaphore du film aussi qui se résume dans ces deux cas de figures.

THIERRY BODIN : De même il y a un personnage que vous introduisez, qui ne figure pas dans le roman mais qui est, effectivement, très pratique pour lui faire dire des choses qui sont dites par Balzac, mais qui ne sont pas faciles à traduire à l'écran. C'est le personnage de Monsieur de Chamblin, incarné par Claude Rich.

JEAN COSMOS : Oui, mais ça s'imposait, il y avait une obligation à dire un certain nombre de choses à nos contemporains, que Balzac n'avait pas à dire aux siens, ne serait-ce que parler de la pairie. Comment comprendre en quoi l'ambition d'un homme peut être complètement motivée par l'acquisition du titre de pair de France, si l'on ne sait pas à quoi correspond l'organisme en soi ? Alors, il y avait cette obligation-là. Faire comprendre aussi que l'on vivait une période très particulière, une période de libération de l'époque napoléonienne. Nous sommes à l'intérieur d'un monde qui réfute le passé récent de l'Empire. [...] Toute cette matière nécessaire à faire passer, on ne peut pas la diluer beaucoup dans le film. Il fallait l'inscrire dans une scène qu'Yves avait très bien préméditée, qui est cette scène du salon de musique, avec deux êtres qui ne peuvent pas correspondre. Le comte Ferraud est pris en main par ce comte de Chamblin, qui est l'esprit même de la Restauration, l'homme qui nous raconte et nous explique [1].

Parmi les modifications apportées aux personnages, Thierry Bodin note la contraction en un seul personnage

---

1. « *Le Colonel Chabert* au cinéma : entretien avec Yves Angelo, réalisateur, et Jean Cosmos, scénariste », par Thierry Bodin, © *Le Courrier balzacien*, n° 59, 2e trimestre 1995, p. 13 et 14-15.

du personnage de Boutin – le montreur d'ours qui accompagne Chabert dans sa longue route pour regagner Paris – et du personnage de Vergniaud – qui l'héberge à Paris –, Vergniaud lui-même devenant une sorte d'escrimeur. Yves Angelo, en s'expliquant sur ce point, révèle la transformation qu'il a fait subir au personnage de Chabert :

> Ce qui était intéressant dans cette suppression, c'est par rapport à l'argent que donne Derville à Chabert. Dans le roman, Chabert donne l'argent à Vergniaud. Dans le film, c'est beaucoup plus ambigu, justement. [...] Chabert, qu'est-ce qu'il fait de cet argent ? On ne sait pas ce qu'il en fait, il dit simplement à Derville : « Comme je suis un troupier, c'est le jeu, le vin, les femmes... » Ce Chabert-là, celui du film, il est tout à fait capable de s'enivrer, d'aller voir les prostituées, etc., avec cet argent ; ce n'est pas l'homme innocent – je reviens à cette notion de blanc et de noir –, naïf dans le bon sens du terme, généreux de façon absolue, que décrit Balzac. C'est un être beaucoup plus ambigu et qui a une part, justement, de cette notion de plaisir de la vie, en vérité, et qui existe évidemment dans le personnage de Depardieu. C'est pour ça aussi que j'extrapole un peu ; mais je reviens sur ce physique : c'était important que ce personnage de Chabert ne soit pas l'homme accablé par des années de souffrance, l'homme souffreteux, presque le vieillard qui arrive au bout du rouleau de sa vie mais, au contraire, l'homme qui est encore capable de jouir des plaisirs de la vie. C'est très fondamental cela, parce que le renoncement de Chabert à la fin est ressenti différemment de quelqu'un qui est, comme dans Balzac, un peu au bout du chemin. Dans le film, il est encore capable de vivre pleinement, avec l'énergie de Depardieu, son renoncement prend évidemment une autre ampleur. [...]
>
> JEAN COSMOS : Le fait d'avoir voulu animer un peu plus le personnage de Chabert, c'est d'abord par nécessité dramatique parce que, dans Balzac, c'est vrai qu'à partir d'un certain moment on est en face de quelqu'un qui [...] a subi une lobotomie, presque. Il y a une inertie formidable, qu'il est très difficile d'évoquer cinématographiquement : l'absence des choses, l'absence des réactions... Alors, nous avons opté

pour un Chabert plus dynamique. [...] En plus, il était très difficile de faire jouer une betterave à Depardieu pendant un certain temps... [1].

Non seulement cette transformation rend le personnage plus intéressant, selon Yves Angelo, mais, du point de vue dramatique, précise encore Jean Cosmos, le duel avec la comtesse Ferraud « devient beaucoup plus compréhensible » : « C'est vrai qu'on détourne Balzac de la réalité de son écriture, nous profitons de lui, nous sommes peut-être les nains qui montons sur ses épaules, mais c'est aussi pour le bénéfice de l'histoire que nous avons à raconter [2]. »

LE RESSERREMENT DU RÉCIT

Thierry Bodin souligne ensuite le fait que, dans le film, le passé de prostituée de la comtesse Ferraud, née Rose Chapotel, est presque entièrement gommé. Yves Angelo explique qu'il a jugé inutile d'insister sur ce point, le nom même de « Rose Chapotel » parlant assez de lui-même. Et Jean Cosmos précise un peu plus loin qu'il a eu à cœur, en revanche, « de faire comprendre qu'il y avait eu un réel amour avec Chabert, [...] un amour très sensuel » entre un soudard et une fille « sortie du ruisseau, ennoblie par le courage de l'homme qui l'avait embarquée sur la croupe de son cheval [3] ». De toute façon, ajoute Yves Angelo, il était impossible de montrer le passé du personnage dans le film.

Ainsi que le fait encore remarquer Thierry Bodin, le scénariste et le réalisateur ont considérablement resserré le récit, qui se déroule sur une période beaucoup plus courte que dans le roman de Balzac, « puisque tout

---

1. *Ibid.*, p. 16-17.
2. *Ibid.*, p. 18.
3. *Ibid.*, p. 20.

s'enchaîne depuis l'arrivée de Chabert jusqu'à ces visites à l'hospice que lui rend Derville [1] ». Ce que Jean Cosmos justifie de la manière suivante :

Je ne suis pas entièrement convaincu que la dilution du temps est nécessaire dans le récit. Il est difficile, en plus, pour le contemporain, d'établir des rapports à cause de l'historicité. Si nous avons Balzac dans la Pléiade sous la main, on regarde, on se documente, on revient aux notes, on voit ce qui s'est passé, parce qu'un détail d'écriture nous dit qu'il s'est passé trois ou six mois entre les événements. Mais, dans la narration dramatique sur la durée d'un film, ce n'est pas la même chose [2].

LE DÉNOUEMENT

Thierry Bodin s'interroge pour conclure sur la modification apportée au dénouement, qui a suscité les réactions les plus vives. Dans le film, Derville prend sa revanche et provoque la rupture du ménage Ferraud : la fin de Chabert s'en trouve complètement modifiée. Comment, pourquoi, demande Thierry Bodin, Yves Angelo et Jean Cosmos ont-ils décidé de cette fin « presque en *happy end* si on veut, puisque les méchants sont punis, alors que la version de Balzac est plus forte parce que, justement, les méchants ne sont pas punis » ?

YVES ANGELO : Je ne comprends pas cela ainsi, les méchants ne sont pas punis. La fin se liquéfie en quelque sorte dans une ouverture qui correspond à la nature même de chacun d'entre nous. Et chacun peut comprendre et ressentir cette conclusion en fonction de sa propre sensibilité. Et je crois, d'ailleurs, que les réactions sont très diversifiées par rapport à la compréhension de cette fin, ce regard de Chabert vers le ciel et ensuite ce champ de morts qui réapparaît. Pour moi, ce n'est pas du tout une *happy end*, c'est le

---

1. *Ibid.*, p. 17.
2. *Ibid.*

fait de boucler une histoire et de se dire que, effectivement, Derville dénonce cette femme. On peut supposer dans le roman de Balzac que le mari a quitté la femme, on ne sait pas, Balzac laisse ça en suspens ; visiblement, il a tout intérêt à la quitter et il va, vraisemblablement, la quitter ; là, Derville a certainement précipité un peu les choses. Deuxièmement, c'était intéressant, à mon avis, de conclure le film sur un seul renoncement et non pas sur le double renoncement que propose Balzac, puisque, effectivement, Balzac, c'est-à-dire Derville, conclut l'histoire vingt ans après sur le renoncement de Derville à cette vie, à l'horreur de ces relations entre les hommes. Le roman est bâti sur ce double renoncement, de Chabert devenu fou et de Derville qui garde évidemment sa lucidité pour s'éloigner des hommes. Et j'ai trouvé que le personnage de Derville, à l'intérieur de cette intrigue, de cette histoire, dans le film, reposait d'une part sur le seul renoncement de Chabert et d'autre part m'apparaissait plus intriguant et plus intéressant. Ce personnage, tout en étant lucide sur l'horreur du monde, comme il le doit, reste à l'intérieur de ce monde, et il y reste avec une jouissance, avec presque une satisfaction, il s'y complaît totalement ; il a un cynisme, une perversité très grande, il s'enivre presque de cette horreur-là. J'ai souvent dit sur le tournage que Derville était comme un collectionneur de destinées particulières, c'est comme le scientifique qui trouve une nouvelle bactérie sous son microscope ou le chirurgien qui découvre une nouvelle tumeur ; il est fou de joie, il s'y plonge. Par voie de conséquence les personnages sont donc très différents, tout en étant extraordinairement liés les uns aux autres, et il ne fallait en aucun cas que Derville rejoigne Chabert justement dans ce renoncement, dans cette espèce de pureté, de sentiment d'innocence, de sentiment d'absolu, mais qu'il reste de plain-pied dans cette vie.

Il y a une phrase magnifique à la fin du film, quand Derville vient voir Chabert à l'hospice et lui dit que le comte Ferraud va épouser une fille Courcelles : « Votre femme se retire en province, je lui crois encore un certain avenir. » Cette phrase n'est pas de Balzac, mais c'est tout Balzac, cette femme qui va quand même continuer… Il n'y a pas de problème pour ce type de femme et c'est là justement – excusez-moi d'en reparler – le thème un peu central du film, cette notion d'ambiguïté qui est permanente dans la nature humaine [1].

LA BATAILLE COMME MÉTAPHORE

Si le film s'ouvre sur « des images tout à fait saisissantes d'un champ de bataille », la scène de la résurrection de Chabert proprement dite, en revanche, n'est évoquée que par quelques flashs de ce champ de bataille. « Le bon goût imposait-il de l'éviter ? » demande Thierry Bodin [2]. Yves Angelo répond que le film, en effet, ne donne à voir personne « ramper ou sortir de terre », seuls les chevaux traversent le champ de bataille, « vivants parmi les morts » :

> Tout simplement parce que je crois que l'histoire de Chabert n'est véritablement intéressante que si on la conçoit comme une métaphore et non pas comme une histoire réaliste. C'est exactement comme la cicatrice de Chabert : si on la montrait, on ramenait l'histoire à une réalité concrète, et alors, justement, la symbolique et la métaphore de cette histoire seraient fondamentalement amoindries par cet aspect réaliste. Il fallait évidemment s'en écarter tout à fait. Le film se partage justement entre l'aspect réel, concret d'une histoire d'argent, d'intérêts personnels d'un homme et d'une femme et, d'un autre côté, l'aspect fable, plus métaphorique, plus symbolique de cette histoire [3].

DU ROMAN AU FILM : INFIDÉLITÉS

Dans un long article paru en 1997 dans *L'Année balzacienne*, intitulé « La troisième mort d'Hyacinthe Chabert », Max Andréoli confronte au texte de Balzac les

---

1. *Ibid.*, p. 19.
2. *Ibid.*, p. 20.
3. *Ibid.*, p. 21.

deux versions filmées les plus connues : celle de René Le Hénaff et Pierre Benoit (1943) et celle d'Yves Angelo et Jean Cosmos (1994) que nous venons d'évoquer.

LANGUE LITTÉRAIRE, LANGAGE CINÉMATOGRAPHIQUE

Max Andréoli rappelle d'abord utilement que, par nature, une adaptation est « nécessairement "infidèle" », et que « l'adaptation dite "fidèle" aboutit dans le meilleur des cas, le plus rare, à une transposition, un *équivalent cinématographique* proche de l'œuvre adaptée » :

> L'œuvre littéraire et l'œuvre cinématographique s'opposent du tout au tout par le matériau qu'elles emploient : le mot, la phrase d'un côté, le plan, l'agencement des plans, de l'autre ; le plan, « l'image », *synthétise* ; la phrase, elle, *analyse*. Ce que l'on appelle *langage cinématographique* est sans doute un *langage*, mais ce n'est pas une *langue*. Cette première proposition doit tout de suite être complétée et corrigée par une proposition de sens contraire : à la différence des autres arts, le cinéma se situant comme la littérature du côté des signes et non du côté des choses, il existe bien, à un niveau supérieur d'organisation, des similitudes, des parallélismes, des parentés entre l'œuvre littéraire et l'œuvre cinématographique. L'une et l'autre en effet, le plus souvent, créent une diégèse, conduisent un récit, mettent en présence des personnages, situent une action, jouent avec le temps et l'espace. Ces propositions divergentes permettent peut-être de rendre compte tant soit peu de ce que l'on appelle une *adaptation cinématographique*, terme sur lequel il y aurait beaucoup à dire : en bref, si la traduction directe d'une œuvre littéraire en langage cinématographique est par essence impossible, sa lecture cinématographique, elle, ne l'est pas ; et *lire*, c'est *(re)construire*, ou, au cinéma, *adapter* [1].

---

1. Max Andréoli, « Littérature et cinéma : la troisième mort d'Hyacinthe Chabert », *L'Année balzacienne*, © PUF, 1997, p. 343.

L'une des principales difficultés, tout particulièrement lorsqu'on veut adapter des romans de Balzac, riches de digressions et de commentaires, c'est de trouver des équivalents cinématographiques aux intrusions de l'auteur ou du narrateur dans l'œuvre littéraire. À cet égard, peu d'adaptations de Balzac trouvent grâce aux yeux de Max Andréoli. « Bridés par l'anecdote, réduits à l'enchaînement des péripéties, et le plus souvent étrangers à la complexité d'un univers qui leur échappe », la plupart des films adaptés de Balzac « laissent au lecteur du texte balzacien le sentiment d'une irrémédiable insuffisance », écrit-il [1].

CHABERT, DE RAIMU À DEPARDIEU

Selon Max Andréoli, les adaptations du *Colonel Chabert* qu'il étudie ne font pas exception, témoignant toutes deux « d'une même désinvolture [2] », non seulement dans le détail (ajouts de scènes, personnages escamotés ou au contraire ajoutés, ordre du récit bouleversé, dénouement modifié), mais aussi et surtout regardant le personnage principal, incarné dans les deux cas par des acteurs à la présence physique et à la personnalité très affirmées et très connotées aux yeux du spectateur.

Le colonel Chabert de la nouvelle apparaît au début comme un vieillard écrasé par les épreuves et la misère, tourné en ridicule par les clercs de Derville ; son attitude trahit une craintive humilité – rachetée en partie par sa réplique à Huré. Or il est, dans le film de Le Hénaff, incarné, c'est tout dire, par l'acteur Raimu. Le physique comme le comportement du comédien en font une véritable antithèse du héros de Balzac : on aperçoit tout d'abord, dans la troisième séquence du film, où l'on fait sa connaissance, le dos massif d'un demi-mendiant assis, puis en contre-champ, vu

---

1. *Ibid.*, p. 346.
2. *Ibid.*

par le comte Ferraud (puisque les deux hommes se croisent
« par hasard » sans se connaître), une sorte d'ours, ramassé
sur lui-même, la mine à la fois hautaine et misérable – en
outre mutilé du bras droit, ce qui va l'obliger, détail non
négligeable, à écrire de la main gauche. Ayant accepté une
aumône du comte Ferraud, Chabert s'empresse de se rendre
à la taverne voisine où il commande du papier à lettres... et
un litre de Bourgogne. Ainsi, en quelques plans, se trouve
posé un personnage de soudard, qui ne rappelle que par sa
situation le Chabert de la nouvelle ; et la suite du film insiste
sur son côté soldatesque, ne serait-ce que par la suppression
du contrepoids de générosité qu'apportait l'épisode de Vergniaud – car alors, où va l'argent versé par l'avoué ? –, ou
encore par son ignorance choquante des règles du savoir-
vivre mondain dans la séquence de son repas à Groslay, face
à son épouse ulcérée. Pourquoi ce changement ?

Bien des hypothèses sont possibles ; mais je pense que
l'une des plus satisfaisantes l'expliquerait par la *présence*,
dans tous les sens du terme, de Raimu. L'acteur joue ici un
rôle à sa mesure, qui lui était familier et comblait les vœux
de son public de l'époque : celui du bourru au grand cœur,
qui cache sa sentimentalité sous une écorce rugueuse. Cette
figure correspond pour une part à un stéréotype d'homme
du peuple dans l'idéologie du Front populaire, qui, en 1943,
n'était nullement morte avec son expression politique.
D'ailleurs, Raimu-Chabert interrompt le récit épique qu'il
fait à Derville pour philosopher sur le mode pacifiste à la
Giraudoux [1] (en pleine Occupation !) : l'avoué ayant invoqué
la défense de la patrie s'entend répondre, et la caméra cadre
alors le visage solennel de l'acteur : « Quand on a vu ce que
j'ai vu, on est bien obligé de dire que le mot patrie est un bien
petit mot quand on a inventé celui d'humanité. » Excellent
exemple d'une intervention idéologique des auteurs du film

---

1. Dans les pièces mythologiques que le dramaturge Jean Giraudoux
(1882-1944) écrivit un peu avant et pendant la Seconde Guerre mon-
diale (notamment *La guerre de Troie n'aura pas lieu*, 1935), la réalité
contemporaine est clairement reconnaissable, mais Giraudoux invite les
spectateurs à des réflexions d'ordre plus général sur des problèmes éter-
nels (l'amour, la guerre...), et à défendre les valeurs humanistes tradi-
tionnelles dans lesquelles il continue de croire malgré les circonstances.

investissant le texte de Balzac... Quant à l'évolution du personnage, il suffira, pour que l'attendrissement mouille son
regard, d'une séquence qui le met en présence d'objets
propres à lui rappeler son passé amoureux avec Rosine – une
boîte à musique, un camée offert à son épouse, laissé ensuite
par elle à la femme de chambre, à qui l'astucieuse comtesse
l'emprunte pour le passer à son doigt avant l'entrevue décisive chez Derville. L'appel aux sentiments en quelque sorte
paternels qu'il va montrer pour les enfants du comte Ferraud
fait le reste, le colonel est prêt à signer son arrêt de mort
« authentique ». Néanmoins, il subsiste une ambiguïté,
quelque chose comme un doute : Chabert ne disparaît pas
brusquement, ce qu'il fait dans la nouvelle, après la découverte accidentelle du guet-apens dressé par la comtesse ; il
retourne chez Derville s'enquérir si les pièces légales tant
attendues ne sont pas arrivées ; et c'est alors qu'il abandonne
la partie. Est-ce parce qu'il désespère de voir triompher sa
cause ? Est-ce par un mouvement de dégoût devant l'ignomi-
nie de la comtesse ? Ou pour ces deux raisons ? Il est malaisé
de se prononcer. En tout cas, c'est seulement dans la dernière
séquence, quand il est coupé du monde par les murs de l'hospice et par sa solitude volontaire, qu'il déchire, sous les yeux
stupéfaits de l'avoué, les précieux documents enfin parvenus
à leur destination. On peut donc le constater : les différences
tant physiques que morales du personnage avec le Chabert
de la nouvelle frappent beaucoup plus que les similitudes... [1].

Max Andréoli regrette que sur ce point, cinquante ans
plus tard, les choses n'aient guère changé. Et il s'insurge
contre l'ambition affichée par Yves Angelo lors de
l'entretien accordé au *Courrier balzacien* : donner, en
somme, « aux personnages de la nouvelle une complexité
et une profondeur censées leur faire défaut ». Le résultat,
selon Andréoli, se résume en fait dans le film à une « re-
constitution » des personnages « selon les modèles d'une

---

1. Max Andréoli, « Littérature et cinéma : la troisième mort d'Hyacinthe Chabert », art. cité, p. 347-349.

psychologie rationaliste d'usage courant, à peine mâtinée de psychanalyse [1] ».

Par son physique, Depardieu, à l'instar de Raimu dans l'adaptation cinématographique de Le Hénaff, est à l'opposé du Chabert de la nouvelle :

> L'acteur Depardieu, prêtant au colonel Chabert un volume, une « carrure », pour reprendre le terme maintes fois répété dans le scénario du film, que ne lui attribuait pas la nouvelle de Balzac, lui assure un prestige extérieur à la fois physique et moral sans commune mesure avec ce que laisse entrevoir le texte. Voici quelques exemples, choisis dans des registres différents, de cette prise de possession du personnage par son interprète. Il arrive dans la nouvelle que Chabert évoque le « désir » qu'il éprouve de sa femme. [...] Quelques allusions suffisent, et le reste de la nouvelle laisse par ailleurs entendre que pour le « vieillard » qu'est devenu Chabert, le tabac offre beaucoup plus d'attraits que les femmes. [...] Mais il importait en revanche que les capacités érotiques de Depardieu, fût-ce sous le masque de Chabert, n'offrissent la moindre prise au doute. [...] C'est pourquoi les auteurs ont cru bon d'avoir recours à une version de la nouvelle très antérieure au Furne, celle de 1832, de façon à rétablir l'exigence, stipulée alors par le colonel comme condition de la transaction, des « deux jours » par mois de « droits conjugaux » [...] « Deux jours par mois, deux jours deux nuits », martèle Depardieu-Chabert dans le dialogue du film, au cours du marchandage chez l'avoué. Déjà, pour illustrer cet aspect du personnage, une séquence du film l'avait rappelé par un retour en arrière au bon vieux temps de la splendeur impériale. [...] De courtes séquences reconstituent des défilés de hussards, et quelques épisodes très spectaculaires de la bataille d'Eylau, propres à donner du beau cavalier que fut Chabert une image avantageusement martiale. Dans le même temps se trouve gommé tout ce qui pourrait ternir cette image [...] ; comme c'était d'ailleurs le cas pour Raimu,

---

1. *Ibid.*, p. 349-350.

on n'aperçoit jamais l'épouvantable cicatrice qui défigure le colonel de la nouvelle [1].

RENVERSEMENT FINAL

Quant à l'attitude finale du colonel dans le film, elle parachève le renversement, à la fois dans la construction du personnage et dans celle du récit. Dans la nouvelle, « Chabert, profondément outragé par la crudité des termes de l'acte authentique qu'a préparé le notaire, refuse à l'ultime moment de le signer, et, dans un sursaut de dignité et de colère, il quitte la place pour prendre l'air dans le parc. Revenant un peu apaisé vers la maison, il surprend sans le vouloir l'édifiante conversation de la comtesse avec Delbecq, son homme d'affaires. Il comprend *alors*, mais alors seulement, qu'il a failli tomber dans le piège qui lui était tendu, et il quitte sans retour son épouse et le monde [2] ». Dans le film au contraire, et le scénario le spécifie – Max Andréoli l'a consulté –, « pendant la discussion de Depardieu-Chabert avec son épouse, juste avant la séquence décisive, "Chabert conserve le ton d'un homme qui décide et non d'un malheureux qui se résigne [3]" ». Phrase « cruciale », commente l'auteur de l'article, et qui définit avec une précision d'ailleurs excessive, pour un personnage que l'on veut complexe, le caractère du colonel. Finalement, Depardieu-Chabert, « ayant tout deviné, garde l'entière initiative », et le film prend à cet endroit « l'exact contrepied du texte » :

Sur le plan dramatique, une telle option entraîne une transformation complète de la scène de la signature. Dans la nouvelle, la comtesse n'assiste pas à la transaction, où elle est représentée par Delbecq ; elle en est au contraire partie

1. *Ibid.*, p. 351-352.
2. *Ibid.*, p. 353.
3. *Ibid.*, p. 354.

prenante dans la séquence correspondante du film : il faut
en effet que sa manœuvre échoue de la manière la plus écla-
tante au cours d'un face-à-face avec Depardieu-Chabert, qui,
loin de la naïveté offensée du colonel de la nouvelle, ne se
départ jamais de son sang-froid ferme et dominateur [1].

Alors que le colonel Chabert de la nouvelle
« n'échappe que par hasard au traquenard préparé par
son épouse », Depardieu-Chabert, au contraire, « soumet
la comtesse à l'épreuve de vérité » et mène le jeu de bout
en bout [2]. Et si, à la fin, il renonce, ce renoncement « procède de *la seule détermination de son libre arbitre*, et non,
comme chez son correspondant littéraire, d'un sentiment
mêlé d'accablement et de dégoût qui le laisse sans réac-
tion devant la bassesse de son épouse et toutes les tur-
pides de la vie sociale. » Où est en l'occurrence, demande
Max Andréoli, la « véritable complexité [3] » ?

Le film de Le Hénaff, Pierre Benoit et Raimu, celui
d'Angelo, Cosmos et Depardieu lisent le texte de Balzac sous
l'éclairage de leur époque. Le premier montre, en 1943, un
Chabert populaire d'après la défaite, détruit par la guerre,
un débris de l'armée française, condamné à vivre des souvenirs de son passé glorieux. Le second répond à l'une des
obsessions de notre temps : marginal, mais maître des circonstances, sûr de lui, Chabert entre en révolte contre une
société qui lui répugne, et dont il se fait de son plein gré
l'exclu. Ainsi, le cinéma, qui d'un côté fait revivre l'œuvre en
satisfaisant à la demande circonstancielle du public, consacre
d'autre part ce que j'ai appelé sans trop y mettre malice la
troisième mort d'Hyacinthe Chabert. Enterré sous les
cadavres d'Eylau, puis enseveli sous les actes juridiques dans
une société qui le rejette, Chabert l'est à présent sous les
images que donnent de lui les cinéastes, les acteurs, les
publics. Quels que soient leurs mérites ou leurs bonnes intentions, tous mettent le personnage au goût du jour, sans trop

---

1. *Ibid.*
2. *Ibid.*, p. 355.
3. *Ibid.*

de considération pour la lettre de la nouvelle ni pour l'esprit qui l'anime, sans chercher à déceler les contradictions profondes qui lui donnent son assise, à détecter les ondes et les vibrations qui, trouvant écho chez le lecteur, appellent à sa conscience les mythes enfouis des descentes aux Enfers.

Néanmoins, il est dans toutes les interprétations du texte une péripétie essentielle qui demeure indemne : c'est le sacrifice final, qu'il soit subi, accepté ou volontaire, du colonel Chabert. Et l'on aurait peine, en effet, à imaginer, sauf à vider totalement l'œuvre de sa substance, une conclusion différente à ce drame, drame de la vie privée sans doute, mais à coup sûr de toute vie intérieure, avec ses bonheurs passagers, ses repentirs, ses faiblesses, ses déceptions plus ou moins sereinement acceptées. [...] À travers les distorsions et les adultérations de tous ordres apportées ou infligées au texte par ses utilisateurs, la triste destinée du vieux soldat, rescapé du royaume des morts et y retournant, écrasé dans sa lutte contre les pouvoirs établis et leur indifférence satisfaite, ressusciterait peut-être le désir, permanent sinon éternel, de voir se résoudre, par une transaction que l'on sait pourtant inaccessible, le conflit des puissances opposées qui nous dominent et nous entraînent. Et elle éveillerait, en dépit de l'hédonisme des actuelles idéologies, une nostalgie vague de la grandeur qui couronne le renoncement sans concession aux facilités et aux servitudes de la vie sociale, mais aussi à soi-même. Tout cela, des lectures par trop réductrices tendent à le faire oublier ; et en définitive, s'il est une place où le pauvre Hyacinthe repose à jamais, vivant de l'immortalité des héros, c'est bien le texte de Balzac qui la lui offre, et c'est là qu'il convient aujourd'hui encore de la reconnaître [1].

L'ADAPTATION CINÉMATOGRAPHIQUE EN DÉBAT

Les deux articles qui suivent expriment deux points de vue divergents sur l'adaptation du *Colonel Chabert* par Yves Angelo et Jean Cosmos.

---

1. *Ibid.*, p. 356-357.

Un feuilleton moralisateur

Une jambe raide dans une botte gelée, des corps dénudés, violâtres, en plans rapprochés, puis le tableau s'élargit insensiblement en un long plan d'ensemble du champ de bataille d'Eylau, éclairé par une lumière glacée. *Voix off* : « Le 8 février 1807, de la pointe du jour à la nuit, la bataille d'Eylau venait de coûter dix mille morts à l'Empire. » C'est ainsi que commence le film d'Yves Angelo sur l'adaptation faite avec Jean Cosmos de la nouvelle de Balzac, évoquant d'emblée la grande fosse remplie de cadavres d'où Chabert parviendra si incroyablement à s'extirper. De rapides *flashbacks* viendront au cours du film traduire la présence de ce terrible passé dans sa mémoire lacunaire.

À l'horreur du champ de bataille succèdent la fameuse scène de l'étude de Derville et le faste de l'hôtel du comte Ferraud. Gérard Depardieu compose un Chabert atypique, dont la violence s'allie à la naïveté, devant une comtesse superbe, très amoureuse d'un mari qui l'aime aussi, mais qu'elle craint de perdre. Fanny Ardant est, me semble-t-il, une comédienne trop lumineuse pour incarner ce monstre femelle. Belle et noble, elle pleure beaucoup sur elle-même pour apitoyer l'intrus, et réussit à nous émouvoir au lieu de nous révolter. Certaines des menées infâmes de la comtesse sont purement passées sous silence et elle est punie à la fin du film par l'abandon de son époux, de manière que nous puissions la plaindre. Mary Bell, dans le film de René Le Hénaff (1943) avec Raimu dans le rôle-titre, était mieux faite pour ce rôle ingrat, qu'elle interprétait très justement. Pourquoi avoir changé le nom du « nouriceure » Vergniaud en Boutin ? Pourquoi avoir inventé des personnages inutiles, comme ce pair de France, Chamblin, qui suggère de façon appuyée au comte Ferraud, visiblement ennuyé, que la pairie mérite des sacrifices, en particulier celui de la comtesse, trop marquée par son passé dans l'entourage de l'Empereur ?

Une séquence parfaitement invraisemblable réalise curieusement les menaces déguisées de Derville à la comtesse en le faisant venir à la fin du film apprendre au comte Ferraud l'existence de Chabert et lui fournir ainsi le prétexte idéal pour quitter sa femme. Pourtant Derville, interprété par

Fabrice Luchini, caustique et cynique à souhait, mais ému par la détresse de Chabert, tire assez bien son épingle du jeu. Malheureusement, son intervention finale est irrecevable. Comment peut-il songer un instant, comme il le dit lui-même, à renoncer à « une clientèle aussi précieuse » ? Cette fin moralisée et optimiste semble confirmée par la fameuse séquence de Bicêtre, où Chabert, réduit à l'état de simple matricule, reçoit la visite de Derville. Le regard bleu et le sourire de Gérard Depardieu n'expriment pas vraiment le dégoût de l'humanité. Il est un peu dommage que les adolescents, qui iront en masse voir ce film, puissent croire que Chabert ne va pas si mal à la fin et que la comtesse a eu la punition qu'elle méritait. Ainsi humanisés, les monstres balzaciens les plongeront dans le feuilleton moralisateur, au lieu de leur apprendre que les crimes impunis sont tout aussi criants dans la société de leur époque [1].

UN BEAU FILM SUR L'INCERTITUDE DES IDENTITÉS

On connaît le débat scolastique sur l'adaptation de romans classiques au cinéma. Faut-il être fidèle à la lettre ou respecter le film, illustrer avec respect ou trahir avec intelligence ? « Le seul type d'adaptation valable est l'adaptation de metteur en scène, c'est-à-dire basée sur la reconversion en termes de mise en scène d'idées littéraires », avançait François Truffaut dans *Le Plaisir des yeux*.

Claude Berri avait donné sa réponse avec un *Germinal* reprenant Zola jusqu'aux dialogues, Yves Angelo lit Balzac, sans oublier, après Barthes, qu'« un texte n'existe que par ses lectures ». Le jeune réalisateur, longtemps chef-opérateur, a un regard et surtout une idée de l'œuvre balzacienne qui lui permettent de susciter des questions chez le spectateur, d'en faire un acteur du film au lieu du consommateur passif qui admire de belles images.

---

1. Victoria Attal, « *Le Colonel Chabert* ou les problèmes de l'adaptation », © *L'École des lettres*, II, n° 3, 1994-1995, p. 84-85.

[...] Angelo ne traite pas Mme Ferraud comme une « femme sans cœur », déterminée, cruelle et froide, ni Chabert comme la malheureuse victime d'un temps sans pitié. La comtesse est fragile ; son mariage avec le comte est menacé par le retour de Chabert, mais aussi et surtout par le désir qu'éprouve Ferraud de devenir pair de France. Elle le dit dans le film, comparant les deux hommes aux chiens d'une meute qui la harcèle. Chabert, quant à lui, est un ancien soudard. Sa fortune repose pour l'essentiel sur des prises de guerre. Les femmes sont pour lui des proies ou des marchandises. S'il reste une victime, on n'en comprend pas moins les craintes de son ex-femme.

Personne donc n'est tout à fait d'une pièce, dans ce *Colonel Chabert*. Chacun y montre l'aspect de lui-même qu'il trouve le plus favorable et seule l'intimité permet d'arracher les masques de la comédie. Car c'est bien de la comédie humaine qu'il s'agit dans ce film, et les personnages jouent, manipulent, intriguent. Ferraud joue sur les mots avec son épouse anxieuse, la comtesse joue sur le pathétique quand la séduction n'opère plus avec Chabert, Derville joue, au propre comme au figuré. Il donne de l'argent à Chabert comme on parie au Palais-Royal, considérant que, s'il a affaire à un bon comédien, il n'aura pas tout perdu. Sa relation avec le colonel ressuscité tient du jeu autant que de l'expérience scientifique. Derville n'ignore rien des règles en vigueur dans la société de la Restauration. L'argent et la vanité y sont rois. Dès sa rencontre avec Chabert, il est déterminé et sait que le combat sera rude. En même temps, il s'est trouvé en Chabert un exemplaire unique à épingler dans sa monstrueuse collection. Porte-parole de Balzac, il rappelle ce que l'homme de loi ou le romancier doivent à Cuvier.

Seul Chabert ne joue pas. Sa vie et son nom sont en jeu. À l'argent et à la sécurité qu'il lui offrirait, il préfère la certitude de son identité. Miraculeusement revenu à la vie, il tient à être Hyacinthe Chabert. Mais il a « vécu » la mort et ne se sent plus de lien avec ce monde de vivants qui ne l'attendait plus. Quelques panoramiques sur le champ de bataille, des plans généraux montrant des cuirassiers qui chargent, disent cet autre monde qui hante le colonel. Un trio de Beethoven, un mouvement de sonate de Schubert évoquent avec sobriété ce monde mélancolique qui sombre.

Yves Angelo a réalisé un beau film sur la vanité des rôles que nous jouons, sur les incertitudes de l'identité, sur la dureté des temps sans héros. En quelque sorte nos années quatre-vingt-dix... [1].

---

1. Norbert Czarny, « La lettre et l'esprit », © *L'École des lettres*, II, n° 3, 1994-1995, p. 85-86.

1799 : Naissance, à Tours, le 20 mai, d'Honoré Balzac, fils du « citoyen Bernard François Balzac » et de la « citoyenne Anne Charlotte Laure Sallambier, son épouse ». Le premier-né du ménage, Louis Daniel Balzac, né le 20 mai 1798, nourri par sa mère, est mort à trente-trois jours, le 22 juin suivant. Honoré, mis en nourrice à Saint-Cyr-sur-Loire jusqu'à l'âge de quatre ans, aura deux sœurs : Laure, née en 1800, et Laurence, née en 1802, ainsi qu'un frère, Henry, né en 1807.

1804 : Il entre à la pension Le Guay, à Tours.

1807 : Il entre, le 22 juin, au collège des Oratoriens de Vendôme, où il passera six ans d'internat.

1813 : Il quitte Vendôme, le 22 avril. En été, il est placé pour quelques mois comme pensionnaire dans l'institution Ganser, à Paris.

1814 : Pendant l'été, il fréquente le collège de Tours. En novembre, il suit sa famille à Paris, 40, rue du Temple, dans le Marais (actuel n° 122).

1815 : Il fréquente deux institutions du quartier du Marais, l'institution Lepître, puis, à partir d'octobre, l'institution Ganser, et suit vraisemblablement les cours du lycée Charlemagne.

1816 : En novembre, il s'inscrit à la faculté de droit, et entre comme clerc chez Me Guillonnet-Merville, avoué, rue Coquillière.

1818 : Il quitte en mars l'étude de Me Guillonnet-Merville pour entrer dans celle de Me Passez, notaire, ami de ses parents et qui habite la même maison, rue du Temple. Il rédige des *Notes sur l'immortalité de l'âme*.

---

1. Cette chronologie a été établie par André Lorant.

1819 : Vers le 1ᵉʳ août, Bernard François Balzac, retraité de l'administration militaire, se retire à Villeparisis avec sa famille. Le 16 août, Louis Balzac, frère de Bernard François, accusé d'avoir assassiné une fille de ferme, est guillotiné à Albi. Honoré, bachelier en droit depuis le mois de janvier, obtient de rester à Paris pour devenir homme de lettres. Installé dans un modeste logis mansardé, 9, rue Lesdiguières, près de l'Arsenal, il y compose une tragédie, *Cromwell*, qui ne sera ni jouée ni publiée de son vivant.

1820 : Il commence *Falthurne*, récit qu'il n'achèvera pas. Le 18 mai, il assiste au mariage de sa sœur Laure avec Eugène Surville, ingénieur des Ponts et Chaussées. Ses parents donnent congé rue Lesdiguières pour le 1ᵉʳ janvier 1821.

1821 : Il commence *Sténie ou les Erreurs philosophiques*, autre récit qui restera inachevé. Le 1ᵉʳ septembre, sa sœur Laurence épouse M. de Montzaigle.

1822 : Début de sa liaison avec Laure de Berny, âgée de quarante-cinq ans, dont il a fait la connaissance à Villeparisis l'année précédente ; elle sera pour lui la plus vigilante et la plus dévouée des amies. Pendant l'été, il séjourne à Bayeux, en Normandie, avec les Surville. Ses parents emménagent avec lui à Paris, dans le Marais, rue du Roi-Doré. En collaboration avec Auguste Lepoitevin dit de l'Égreville, il publie, sous le pseudonyme de lord R'hoone, *L'Héritière de Birague*, « par A. de Viellerglé et lord R'hoone » ; *Jean-Louis* et *Clotilde de Lusignan*, « par lord R'Hoone » ; *Le Centenaire* et *Le Vicaire des Ardennes*, parus la même année, sont signés Horace de Saint-Aubin. Il commence *Wann-Chlore*, rédige un mélodrame, *Le Nègre*, laisse une nouvelle inachevée : *Une heure dans ma vie*.

1823 : Au cours de l'été, séjour en Touraine. *La Dernière Fée*, signé « Horace de Saint-Aubin ».

1824 : Vers la fin de l'été, ses parents ayant regagné Villeparisis, il s'installe rue de Tournon.
Annette et le criminel, signé « Horace de Saint-Aubin », est publié chez Émile Buissot, libraire, rue Pastourelle, nº 3, au Marais (avril). Le roman sera réédité, dans une version édulcorée, dans les *Œuvres complètes d'Horace de Saint-Aubin*, en 1836, chez Souverain, sous le titre *Argow le Pirate*. Sous

l'anonymat : *Du droit d'aînesse ; Histoire impartiale des Jésuites.*

1825 : Associé avec Urbain Canel, Balzac réédite les œuvres de Molière et de La Fontaine. En avril, bref voyage à Alençon. Début des relations avec la duchesse d'Abrantès. Sa sœur Laurence meurt le 11 août. *Wann-Chlore*, signé « Horace de Saint-Aubin ». Sous l'anonymat : *Code des gens honnêtes.*

1826 : Le 1er juin, il obtient un brevet d'imprimeur. Associé avec Barbier, il s'installe rue des Marais-Saint-Germain (aujourd'hui rue Visconti). Au cours de l'été, sa famille abandonne Villeparisis pour se fixer à Versailles.

1827 : Le 15 juillet, avec Laurent et Barbier, il crée une société pour l'exploitation d'une fonderie de caractères d'imprimerie.

1828 : Au début du printemps, Balzac s'installe 1, rue Cassini, près de l'Observatoire. Ses affaires marchent mal : il doit les liquider et contracte de lourdes dettes. Il revient à la littérature : du 15 septembre à la fin octobre, il séjourne à Fougères, chez le général de Pommereul, pour préparer un roman sur la chouannerie.

1829 : Balzac commence à fréquenter les salons : il est reçu chez Sophie Gay, chez le baron Gérard, chez Mme Hamelin, chez la princesse Bagration, chez Mme Récamier. Début de la correspondance avec Mme Zulma Carraud qui, mariée à un commandant d'artillerie, habite alors Saint-Cyr-l'École. Le 19 juin, mort de Bernard François Balzac.

En mars paraît, avec la signature Honoré Balzac, *Le Dernier Chouan ou La Bretagne en 1800* qui, sous le titre définitif *Les Chouans*, sera le premier roman incorporé à *La Comédie humaine*. En décembre, *Physiologie du mariage*, « par un jeune célibataire ».

1830 : Balzac collabore à la *Revue de Paris*, à la *Revue des Deux Mondes*, ainsi qu'à divers journaux : le *Feuilleton des journaux politiques*, *La Mode*, *La Silhouette*, *Le Voleur*, *La Caricature*. Il adopte la particule et commence à signer « de Balzac ». Avec Mme de Berny, il descend la Loire en bateau (juin) et séjourne, pendant l'été, dans la propriété de la Grenadière, à Saint-Cyr-sur-Loire. À l'automne, il devient un familier du salon de Charles Nodier, à l'Arsenal.

Premières *Scènes de la vie privée* : *La Vendetta* ; *Les Dangers de l'inconduite* (*Gobseck*) ; *Le Bal de Sceaux* ; *Gloire et malheur* (*La Maison du Chat-qui-pelote*) ; *La Femme tumultueuse* (*Une double famille*) ; *La Paix du ménage*. Parmi les premiers « contes philosophiques » : *Les Deux Rêves, L'Élixir de longue vie*.

1831 : Désormais consacré comme écrivain, il travaille avec acharnement, tout en menant, à ses heures, une vie mondaine et luxueuse, qui ranimera indéfiniment ses dettes. Ses ambitions politiques demeurent insatisfaites.
La Peau de chagrin, roman philosophique. Sous l'étiquette « contes philosophiques » paraissent *Les Proscrits* et *Le Chef-d'œuvre inconnu*.

1832 : Entrée en relations avec Mme Hanska, « l'Étrangère », qui habite le château de Wierzchownia, en Ukraine. Il est l'hôte de M. de Margonne à Saché (où il a fait et fera d'autres séjours), puis des Carraud, qui habitent désormais Angoulême. Il est devenu l'ami de la marquise de Castries, qu'il rejoint en août à Aix-les-Bains et qu'il suit en octobre à Genève : désillusion amoureuse. Au retour, il passe trois semaines à Nemours auprès de Mme de Berny. Il a adhéré au parti néo-légitimiste et publié plusieurs essais politiques.
La Transaction (*Le Colonel Chabert*). Parmi de nouvelles *Scènes de la vie privée* : *Les Célibataires* (*Le Curé de Tours*) et cinq « scènes » distinctes qui seront groupées plus tard dans *La Femme de trente ans*. Parmi de nouveaux « contes philosophiques » : *Louis Lambert*. En marge de la future *Comédie humaine* : premier dixain des *Contes drolatiques*.

1833 : Début d'une correspondance suivie avec Mme Hanska. Il la rencontre pour la première fois en septembre à Neuchâtel et la retrouve à Genève pour la Noël. Liaison secrète avec Maria du Fresnay, née Daminois. Contrat avec Mme Béchet pour la publication, achevée par Werdet, des *Études de mœurs au XIXe siècle* qui, de 1833 à 1837, paraîtront en douze volumes et qui sont comme une préfiguration de *La Comédie humaine* (I à IV : *Scènes de la vie privée* ; V à VIII : *Scènes de la vie de province* ; IX à XII : *Scènes de la vie parisienne*). *Le Médecin de campagne*. Parmi les premières *Scènes de la* *vie de province* : *La Femme abandonnée* ; *La Grenadière* ; *L'Illustre Gaudissart* ; *Eugénie Grandet* (décembre).

1834 : Retour de Suisse en février. Le 4 juin naît Maria du Fresnay, sa fille présumée. Nouveaux développements de la vie mondaine : il se lie avec la comtesse Guidoboni-Visconti.

16 juillet : Balzac, qui a pris conscience de l'unité de son œuvre, songe à la diviser en trois séries : *Études de mœurs au XIXe siècle, Études philosophiques* et *Études analytiques*. Il signe un contrat avec l'éditeur Werdet pour la publication d'une édition des *Études philosophiques*.

La Recherche de l'absolu. Parmi les premières *Scènes de la vie parisienne* : *Histoire des Treize* (I. *Ferragus*, 1833. II. *Ne touchez pas la hache* [*La Duchesse de Langeais*], 1833-1834. III. *La Fille aux yeux d'or*, 1834-1835). À l'automne, pendant la rédaction du *Père Goriot*, il invente le procédé de retour des personnages.

1835 : L'édition collective d'*Études philosophiques* (1835-1840) commence à paraître chez Werdet. Au printemps, Balzac s'installe en secret rue des Batailles, à Chaillot. Au mois de mai, il rejoint Mme Hanska, qui est avec son mari à Vienne, en Autriche ; il passe trois semaines auprès d'elle et ne la reverra plus pendant huit ans.

Le Père Goriot (1834-1835). *Melmoth réconcilié. La Fleur des pois* (*Le Contrat de mariage*). *Séraphîta.*

1836 : Année agitée. Le 20 mai naît Lionel Richard Guidoboni-Visconti, qui est peut-être son fils naturel. En juin, Balzac gagne un procès contre la *Revue de Paris* au sujet du *Lys dans la vallée*, dont l'éditeur Buloz a, sans autorisation de Balzac, transmis les épreuves à une revue de Saint-Pétersbourg. En juillet, Balzac doit liquider *La Chronique de Paris*, qu'il dirigeait depuis janvier. Il passe quelques semaines à Turin ; au retour, il apprend la mort de Mme de Berny, survenue le 27 juillet.

Le Lys dans la vallée. L'Interdiction. La Messe de l'athée. Facino Cane. L'Enfant maudit (1831-1836). *Le Secret des Ruggieri* (*La Confidence des Ruggieri*), *Argow le Pirate* (2e éd. d'*Annette et le criminel*), constituant les t. VII et VIII des *Œuvres complètes d'Horace de Saint-Aubin.*

1837 : Nouveau voyage en Italie (février-avril), à Milan, Venise, Gênes, Livourne, Florence, au lac de Côme. *La Vieille Fille.* *Illusions perdues* (début). *César Birotteau.*

1838 : Séjour à Frapesle, près d'Issoudun, où sont désormais fixés les Carraud (février-mars) ; quelques jours à Nohant, chez George Sand. Voyage en Sardaigne et dans la péninsule Italienne (avril-mai). En juillet, installation aux Jardies, entre Sèvres et Ville-d'Avray.
La Femme supérieure (*Les Employés*). *La Maison Nucingen.* Début des futures *Splendeurs et misères des courtisanes* (*La Torpille*).

1839 : En avril, Balzac est nommé président de la Société des gens de lettres. En septembre-octobre, il mène une campagne inutile en faveur du notaire Peytel, ancien codirecteur du *Voleur*, condamné à mort pour meurtre de sa femme et d'un domestique. Activité dramatique : il achève *L'École des ménages* et *Vautrin.* Candidat à l'Académie française, il s'efface, le 2 décembre, devant Victor Hugo, qui ne sera pas élu.
Le Cabinet des antiques. Gambara. Une fille d'Ève. Massimilla Doni. Béatrix ou les Amours forcés. Une princesse parisienne (*Les Secrets de la princesse de Cadignan*).

1840 : *Vautrin*, créé le 14 mars à la Porte-Saint-Martin, est interdit le 16. Balzac dirige et anime la *Revue parisienne*, qui aura trois numéros (juillet-août-septembre) ; dans le dernier figure la célèbre étude sur *La Chartreuse de Parme.* En octobre, il s'installe 19, rue Basse (aujourd'hui la « Maison de Balzac », 47, rue Raynouard, dans le 16e arrondissement). *Pierrette. Pierre Grassou. Z. Marcas. Les Fantaisies de Claudine* (*Un prince de la bohème*).

1841 : Le 2 octobre, traité avec Furne et un consortium de librairies pour la publication de *La Comédie humaine*, qui paraîtra avec un « Avant-propos » capital, en dix-sept volumes (1842-1848), et un volume posthume (1855). *Le Curé de village* (1839-1841). *Les Lecamus* (*Le Martyr calviniste*).

1842 : Le 19 mars, création, à l'Odéon, des *Ressources de Quinola. Mémoires de deux jeunes mariées. Albert Savarus.*

La Fausse Maîtresse. Autre étude de femme. Ursule Mirouët. Un début dans la vie. Les Deux Frères (La Rabouilleuse).

1843 : Juillet-octobre : séjour à Saint-Pétersbourg, auprès de Mme Hanska, veuve depuis le 10 novembre 1841 ; retour par l'Allemagne. Le 26 septembre, création, à l'Odéon, de *Paméla Giraud.*
Une ténébreuse affaire. La Muse du département. Honorine. Illusions perdues, complet en trois parties (I. *Les Deux Poètes*, 1837. II. *Un grand homme de province à Paris*, 1839. III. *Les Souffrances de l'inventeur*, 1843).

1844 : *Modeste Mignon. Les Paysans* (début). *Béatrix* (II. *La Lune de miel*). *Gaudissart* (II).

1845 : Mai-août : Balzac rejoint à Dresde Mme Hanska, sa fille Anna et le comte Georges Mniszech ; il voyage avec eux en Allemagne, en France, en Hollande et en Belgique. En octobre-novembre, il retrouve Mme Hanska à Châlons et se rend avec elle à Naples. En décembre, seconde candidature à l'Académie française.
Un homme d'affaires. Les Comédiens sans le savoir.

1846 : Fin mars, séjour à Rome avec Mme Hanska, puis en Suisse et jusqu'à Francfort. Le 13 octobre, à Wiesbaden, Balzac est témoin au mariage d'Anna Hanska avec le comte Mniszech. Au début de novembre, Mme Hanska met au monde un enfant mort-né, qui devait s'appeler Victor Honoré.
Petites Misères de la vie conjugale (1845-1846). *L'Envers de l'histoire contemporaine* (premier épisode). *La Cousine Bette.*

1847 : De février à mai, Mme Hanska séjourne à Paris, tandis que Balzac s'installe rue Fortunée (aujourd'hui rue Balzac). Le 28 juin, il fait d'elle sa légataire universelle. Il la rejoint à Wierzchownia en septembre.
Le Cousin Pons. La Dernière Incarnation de Vautrin (dernière partie de *Splendeurs et misères des courtisanes*).

1848 : Rentré à Paris le 15 février, Balzac assiste aux premières journées de la révolution. *La Marâtre* est créée, en mai, au Théâtre historique ; *Mercadet*, reçu en août au Théâtre-Français, n'y sera pas représenté. À la fin de septembre, il retrouve Mme Hanska en Ukraine et reste avec elle jusqu'au printemps de 1850.

L'Envers de l'histoire contemporaine (2ᵉ épisode).

1849 : 11 et 18 janvier : deux scrutins de l'Académie française sont défavorables à Balzac. Sa santé, déjà éprouvée, s'altère gravement : crises cardiaques répétées au cours de l'année.

1850 : Le 14 mars, à Berditcheff, il épouse Mme Hanska. Malade, il rentre avec elle à Paris le 20 mai et meurt le 18 août. Sa mère lui survit jusqu'en 1854 et sa femme jusqu'en 1882. Son frère Henry mourra en 1858 ; sa sœur Laure en 1871.

1854 : Publication posthume du *Député d'Arcis*, terminé par Charles Rabou.

1855 : Publication posthume des *Paysans*, terminés sur l'initiative de Mme Honoré de Balzac. Édition, commencée en 1853, des *Œuvres complètes* en vingt volumes par Houssiaux, qui prend la suite de Furne comme concessionnaire (I à XVIII. *La Comédie humaine*. XIX. *Théâtre*. XX. *Contes drolatiques*).

1856-1857 : Publication posthume des *Petits Bourgeois*, roman terminé par Charles Rabou.

1869-1876 : Édition définitive des *Œuvres complètes* de Balzac en vingt-quatre volumes chez Michel Lévy, puis Calmann-Lévy. Parmi les *Scènes de la vie parisienne* sont réunies pour la première fois les quatre parties de *Splendeurs et misères des courtisanes*.

BIBLIOGRAPHIE

I. PRINCIPALES ÉDITIONS DU *COLONEL CHABERT*

1. *L'Œuvre de Balzac*, Formes et Reflets (édition du Centenaire), Club Français du Livre, 1953-1955, t. I : *Le Colonel
Chabert*, avec une préface d'André Billy (cette préface est
reprise, sous le titre « En marge du *Colonel Chabert* », dans
le volume *Huysmans et compagnie*, Paris, Nizet, 1973).

2. *Œuvres complètes de Balzac*, édition établie par la Société des
études balzaciennes, Club de l'honnête homme, 1956 (édition
consultée : 2ᵉ édition, 1968), t. IV : *Le Colonel Chabert*, avec
une préface de Maurice Bardèche.

3. *Le Colonel Chabert*, édition critique avec une introduction,
des variantes et des notes par Pierre Citron, Paris, Société
des textes français modernes/Librairie Marcel Didier, 1961
(étude très fouillée des sources ; édition de référence).

4. *La Comédie humaine*, Lausanne, Rencontre, 1969, t. V : *Le
Colonel Chabert*, avec une préface de Roland Chollet.

5. *Le Colonel Chabert* suivi de *Ferragus*, Paris, LGF, Le Livre
de Poche, 1973, avec une introduction de Rose Fortassier.

6. *Le Colonel Chabert*, suivi de *El Verdugo*, *Adieu* et *Le Réquisitionnaire*, Paris, Gallimard, « Folio », 1974, avec une préface
de Pierre Gascar, édition établie et annotée par Patrick Berthier (l'annotation du *Colonel Chabert* n'apporte pratique-
ment rien de nouveau par rapport à l'édition de Pierre
Citron, que Patrick Berthier, de son propre aveu, utilise abon-
damment ; le texte est celui du Furne corrigé, mais Patrick
Berthier, arguant que la suppression du découpage en chapitres a été imposé à Balzac pour gagner de la place dans
l'édition Furne, a rétabli le découpage en trois chapitres de
l'édition de 1835 « pour aérer la lecture » ; il a aussi respecté
des majuscules que l'édition moderne juge désuètes et sup-
prime généralement).

7. *La Comédie humaine*, Paris, Gallimard, « Bibliothèque de la Pléiade », 1976-1981, t. III : *Le Colonel Chabert*, introduction de Pierre Barbéris, histoire du texte, notes et variantes.

8. *Le Colonel Chabert*, Paris, Pocket, collection « Lire et voir les classiques », 1991, édition présentée par Jeannine Guichardet (intérêt de curiosité de cette édition : son petit cahier iconographique).

9. *Le Colonel Chabert*, Paris, Gallimard, « Folio Classique », 1999. (Cette édition reproduit l'introduction de Pierre Barbéris pour l'édition de la « Bibliothèque de la Pléiade », et conserve l'établissement du texte de Patrick Berthier pour l'édition « Folio » de 1974.)

10. *Le Colonel Chabert*, Paris, LGF, Le Livre de Poche, 1994, introduction, notes, commentaires et dossier de Stéphane Vachon. (Pour balzaciens avertis, avec notamment la transcription de la partie conservée du manuscrit.)

11. *Le Colonel Chabert*, Paris, Pocket, « Classiques », 1998, préface et commentaire de Jeannine Guichardet (avec un « Parcours de lecture » et un intéressant dossier historique et littéraire).

II. ÉTUDES SUR *LE COLONEL CHABERT* ET SES ADAPTATIONS

Max ANDRÉOLI, « Littérature et cinéma : à propos du film *Le Colonel Chabert* », *Année balzacienne* 1996, p. 13-22.

–, « Littérature et cinéma : la troisième mort d'Hyacinthe Chabert », *Année balzacienne* 1997, p. 325-357. (Des extraits de cet article sont reproduits dans notre dossier.)

Victoria ATTAL, « *Le Colonel Chabert* ou les problèmes de l'adaptation », *L'École des lettres*, dossier « Littérature et cinéma », 1er novembre 1994, p. 84-85. (Article reproduit dans notre dossier.)

Anne-Marie BARON, « La bureaucratie de Balzac à Kafka », *Courrier balzacien* n° 59, 2e trimestre 1995, p. 3-10.

–, « *Le Colonel Chabert* et *L'Interdiction* ou les fantasmes d'un romancier », *L'École des lettres*, dossier « Littérature et cinéma », 1er novembre 1994, p. 63-73.

Claudie BERNARD, « Formes et forces de la reconnaissance dans *Le Colonel Chabert* », *Équinoxe*, Kyoto (Japon), n° 11, printemps 1994, p. 55-65.

Patrick BERTHIER, « Absence et présence du récit guerrier dans l'œuvre de Balzac », *Année balzacienne*, 1984 (communication prononcée le 28 juin 1983 à l'université de Clermont-Ferrand II, dans le cadre du colloque « La Bataille, l'armée, la gloire »).

Dieter BEYERLE, « Die Heimkehr des Verschollenen Ehemann's bei Balzac [*Le Colonel Chabert*], Zola [*Jacques Damour*] und Maupassant [*Le Retour*] », *Romanistisches Jarhbuch*, XXVII, 1976.

Thierry BODIN, « *Le Colonel Chabert* au cinéma », entretien avec Yves Angelo, réalisateur, et Jean Cosmos, scénariste », *Courrier balzacien*, n° 59, 2e trimestre 1995, p. 11-23. (Des extraits de cet entretien sont reproduits dans notre dossier.)

Peter BROOKS, « Narrative transaction and transference. Unburrying *Le Colonel Chabert* », *Novel* (*A Forum on Fiction*), Providence, Brown University, vol. 15, n° 2, hiver 1982 (repris dans *Reading for the Plot*, Oxford, Clarendon Press, 1984).

–, « Constructions psychanalytiques et narratives », *Poétique*, n° 61, février 1985, p. 63-74.

Jacques CARDINAL, « Perdre son nom : identité, représentation et vraisemblance dans *Le Colonel Chabert* », *Poétique*, n° 135, septembre 2003, p. 307-322.

Norbert CZARNY, « La lettre et l'esprit », *L'École des lettres*, dossier « Littérature et cinéma », 1er novembre 1994, p. 85-86. (Article reproduit dans notre dossier.)

R.C. DALE, « *Le Colonel Chabert* : between gothicism and naturalism », *L'Esprit créateur*, printemps 1967, vol. 7, n° 1.

Caroline EADES, « *Le Colonel Chabert* : récit romanesque et récits filmiques », *Année balzacienne*, 1995, p. 331-348.

Alexander FISCHLER, « Fortune in *Le Colonel Chabert* », *Studies in Romanticism*, Boston University, vol. 3, hiver 1969, n° II.

Lucienne FRAPPIER-MAZURE, « Fortune et filiation dans quatre nouvelles de Balzac » (*Gobseck*, *Le Colonel Chabert*, *Le Contrat de mariage*, *L'Interdiction*), *Littérature*, n° 29, février 1978.

Joëlle GLEIZE, « Reconstruire l'Histoire : *Le Colonel Chabert* », dans *Balzac dans l'Histoire*, études présentées et réunies par Nicole Mozet et Paule Petitier, Paris, SEDES, 2001.

Graham GOOD, « *Le Colonel Chabert* : a masquerade with documents », *The French Review*, vol. 42, n° 6, mai 1969.

Alain GUILLEMIN, « Balzac et l'H(h)istoire au miroir du *Colonel Chabert* », dans *À la recherche du meilleur des mondes : littérature et sciences sociales*, actes du colloque d'Aix-en-Provence, organisé par le Groupe de recherche sur l'art et la littérature (GRAL) du Laboratoire méditerranéen de sociologie (LAMES), 25-26 mai 1999, p. 195-208.

Jacques HOUBERT, « Au cinéma : *Le Colonel Chabert* », *Courrier balzacien*, n° 57, 4e trimestre 1994, p. 29-32. (Comporte les références d'articles parus dans la presse au moment de la sortie du film d'Yves Angelo.)

Margaret Anne HUTTON, « Know thyself *vs* common knowledge : Bleich's epistemology seen through two short stories by Balzac » (*Le Colonel Chabert, Adieu*), *The Modern Language Review*, janvier 1991, p. 49-56.

Bernard LALANDE, « De Balzac et du *Colonel Chabert* », *Raison présente*, 1er trimestre 1995, p. 113-116.

Sâm LE-HONG, « Chabert, miroir possible de tous les temps et de tous les pays », dans *Genèses du roman : Balzac et George Sand*, textes réunis et présentés par Lucienne Frappier-Mazur, Amsterdam/New York, Rodopi, 2004.

Marcelle MARINI, « Chabert mort ou vif », *Littérature*, n° 13, février 1974. (Interprétation psychanalytique très intéressante.)

Véronique MONTEILHET, « Les adaptations balzaciennes sous l'Occupation : un cinéma de collaboration ou de Résistance ? », *Année balzacienne*, 2002, p. 327-347.

Pierre-Antoine PERROD, article sur Ida de Bocarmé, dédicataire du *Colonel Chabert*, dans *Historia*, n° 339, février 1975.

Sandy PETREY, « The reality of representation : between Marx and Balzac », *Critical Inquiry*, University of Chicago, printemps 1988, vol. 14, n° 3. (Étude comparée du *Colonel Chabert* et du *Dix-huit Brumaire de Louis Bonaparte* de Marx, inattendue mais stimulante.)

Frédéric DE SCITIVAUX, « Le colonel Chabert : un personnage hors la loi », *L'École des lettres*, dossier « Littérature et cinéma », 1er novembre 1994, p. 74-83.

Eileen B. SIVERT, « Who's who : non-characters in *Le Colonel Chabert* », *French Forum*, vol. 13, n° 2, mai 1988.

Jean TULARD, « Les adaptations cinématographiques des romans de Balzac entre 1940 et 1944 », *Année balzacienne*, 1996, p. 389.

Stéphane VACHON, « Comment ont-ils vu *Le Colonel Chabert* (au théâtre en juillet 1832) », *Courrier balzacien* n° 56, 3e trimestre 1994, p. 3-16. (Revue de presse de *Chabert*, adaptation théâtrale du roman par Arago et Lurine, représentée au théâtre du Vaudeville les 2, 3, 4, 14 et 15 juillet, puis sans interruption jusqu'au 6 août 1832.)

André VANONCINI, « Les destins de l'énergie dans *Le Colonel Chabert* », dans *L'Érotique balzacienne*, textes réunis et présentés par Lucienne Frappier-Mazur et Jean-Marie Roulin, Paris, SEDES, 2001, p. 117-124.

Gilles VISY, *Le Colonel Chabert au cinéma. Variation sémiologique autour de la transformation du texte en film*, Paris, Publibook, « Audiovisuel et cinéma », 2003. (Compte rendu de Patrick Berthier, *Année balzacienne*, 2005, p. 440-443.)

III. OUVRAGES GÉNÉRAUX SUR L'ŒUVRE DE BALZAC ET SON CONTEXTE HISTORIQUE

Pierre BARBÉRIS, *Balzac et le mal du siècle*, Paris, Gallimard, 1970.

–, *Le Monde de Balzac*, Paris, Arthaud, 1973.

Maurice BARDÈCHE, *Balzac romancier*, Paris, Plon, 1940.

–, *Balzac*, Paris, Julliard, coll. « Les Vivants », 1980. (Reprend les analyses formulées dans *Balzac romancier.*)

G. DE BERTIER DE SAUVIGNY, *La Restauration*, Paris, Flammarion, coll. « Champs », 1974.

Jeannine GUICHARDET, *Balzac « archéologue » de Paris*, Paris, SEDES, 1986.

Bernard GUYON, *La Pensée politique et sociale de Balzac*, Paris, Armand Colin, 1967.

A. JARDIN et A.J. TUDESQ, *La France des notables*, Paris, Seuil, coll. « Points-Histoire », 1973, vol. 1 : *L'Évolution générale* ; vol. 2 : *La Vie de la nation* (t. VI et VII de la série « Nouvelle histoire de la France contemporaine »).

Arlette MICHEL, *Le Mariage chez Honoré de Balzac. Amour et féminisme*, Paris, Les Belles Lettres, 1978.

Roger PIERROT, *Balzac*, Paris, Fayard, 1994.

Jean TULARD, *Napoléon*, Paris, Hachette, coll. « Pluriel », réédition au format de poche de l'édition Fayard, 1987.

IV. FILMOGRAPHIE ET ICONOGRAPHIE

La filmographie générale de Balzac a été établie par Anne-Marie BARON, « Filmographie de Balzac », *Année balzacienne*, 2005.

ADAPTATIONS CINÉMATOGRAPHIQUES DU *COLONEL CHABERT*

1911 : *Le Colonel Chabert*. Réalisateur : André Calmettes et Henri Pouctal (France).

1920 : *Le Colonel Chabert*. Réalisateur : Carmine Gallone. Interprétation : Charles Le Bargy, Rita Pergament (Allemagne).

1932 : *Mensch ohne Nahmen* [*L'Homme sans nom*]. Réalisateur : Gustav Ucicky, adaptation par Robert Liebman. Interprétation : Werner Kraus (version allemande) / Firmin Gémier (version française), Mathias Wieman, Hans Brausewetter, Helene Thimig (Allemagne).

1943 : *Le Colonel Chabert*. Réalisateur : René Le Hénaff. Adaptation et dialogues : Pierre Benoit. Interprétation : Raimu, Marie Bell, Jacques Baumer, Aimé Clariond, Roger Blin (France).

1994 : *Le Colonel Chabert*. Réalisateur : Yves Angelo. Adaptation et dialogues : Jean Cosmos et Yves Angelo. Interprétation : Gérard Depardieu, Fanny Ardant, Fabrice Luchini, André Dussolier, Claude Rich.

ADAPTATIONS TÉLÉVISÉES DU *COLONEL CHABERT*

1953 : *Le Colonel Chabert.* Réalisateur Lewis Allen, adaptation
Robert Yale (épisode de la série télé *Your Favourite Story*,
KTTV, 30 min, réalisée d'après Balzac et Tchekhov), États-
Unis. Interprètes : Adolphe Menjou, Gertrud Michael.
1967 : *Oberst Cahbert* [*Le Colonel Chabert*]. Réalisateur :
Ludwig Cremer, Allemagne. Interprétation : Kurt Erhardt,
Herbert Fleishmann.
1978 : *Le Colonel Chabert.* Réalisateur : Pierre Sabbagh,
France. Pièce d'Albert Husson et Jean Meyer d'après le
roman de Balzac. Interprétation : Jean Meyer, Geneviève
Fontanel.

ICONOGRAPHIE

Un roman au musée : Le Colonel Chabert, Paris-Musées, « Les
cahiers de la Maison de Balzac », 1997, 64 p.

N° d'édition : L.01EHPN000405.C003
Dépôt légal : mars 2011
Imprimé en Espagne par Novoprint (Barcelone)